KU-344-715

Jean LAFRANCE

Prie ton Père

dans le secret

Cum permissu Superiorum.

AVERTISSEMENT

Voici une série de textes d'égale longueur et assez brefs, destinés avant tout à soutenir la prière. Bien souvent, nous les avons présentés sous forme de contemplations évangéliques pour introduire à l'oraison ceux qui participaient à une expérience de prière. Une fois sortis de la retraite, ceux-ci ont souvent manifesté le désir d'avoir un texte "souvenir", un mémorial qui leur permettrait de revivre au fil des jours, dans l'oraison quotidienne, l'expérience vécue dans un espace de temps assez bref (environ une dizaine de jours). C'est pour répondre à cette demande que nous avons écrit ces pages. Précisons un peu leur contenu en indiquant les personnes à qui elles s'adressent et la manière dont elles peuvent être utilisées pour la prière.

Il ne s'agit pas d'une série de méditations écrites au hasard, un peu comme on proposerait des thèmes divers pour nourrir l'oraison. Il s'agit , avant tout, d'une expérience de prière conçue selon un cheminement bien orienté et, qui dit expérience dit croissance et enchaînement selon un ordre précis. Mais nous ne sommes pas pour cela devant une construction abstraite et subjective, l'expérience spirituelle rejoint l'expérience chrétienne qui est l'expérience objective du salut à travers le peuple élu, les prophètes, Jésus-Christ et enfin l'Eglise. On pourrait la traduire comme une révélation progressive du Dieu Amour qui appelle l'homme à entrer en communion profonde avec lui jusqu'au jour où il la réalise dans le Christ. Une telle expérience nous est livrée dans la Bible et l'Eglise nous invite à la revivre aujourd'hui dans la liturgie et la vie quotidienne.

Nous avons donc suivi le cheminement de cette révélation de Dieu qui appelle l'homme à vivre avec lui en relation d'amitié. L'alliance entre Dieu et l'homme est si intime, si concrète et si totale que, désormais, tenter de parler de Dieu sans parler en même temps de l'homme, c'est une abstraction ; et que, désormais, tenter de parler de l'homme sans parler en même temps de Dieu, c'est une autre abstraction. C'est dire qu'on ne peut lire la Parole de Dieu en touriste curieux ou en chasseur d'images ou d'idées. Nous sommes impliqués et interpelés par la Parole de Dieu qui est une adresse au coeur profond de l'homme.

Ce canevas assez succinct se divise en quatre parties qui essaient d'approcher, par touches successives, les étapes de l'économie du salut. D'abord, nous nous plaçons devant le Dieu qui sort du silence et parle à l'homme pour lui avouer son désir de nouer avec lui une alliance d'amour. C'est dans ce dialogue que Dieu se révèle comme le Tout Autre et le Tout Proche et aussi comme Créateur. Cette révélation du Dieu trois fois Saint, du Dieu

Ami et du Dieu Hôte plonge l'homme dans l'adoration et l'amour en l'appelant à vivre devant lui, avec lui et en lui. La contemplation du Dieu du dialogue apparaît comme l'étape initiale de l'histoire du salut.

Mais ce salut se réalise pleinement et totalement le jour où la Parole de Dieu se fait chair et vient planter sa tente au milieu de l'humanité. Les hommes sont donc placés devant Jésus-Christ et appelés à le reconnaître comme la révélation du Dieu Amour. Au coeur de la foi, il y a une option déterminante pour ou contre le Christ, Parole de Dieu. C'est à ce niveau d'accueil ou de refus du Christ que se révèlent les intentions profondes du coeur. Dans le regard d'amour du Christ qui vient vers nous, nous expérimentons notre péché et notre besoin de salut. Si nous refusons d'être transpercés par ce regard, nous sommes des aveuglés impénitents qui ne voient pas en Jésus la révélation de l'amour du Père.

Placés devant le Christ, il n'y a pas d'autre alternative que de le suivre ou de le fuir. Mais suivre Jésus-Christ, c'est entrer avec lui dans le mystère de la Croix glorieuse et le Royaume des Béatitudes. C'est à cette seule condition que nous pouvons devenir ses disciples. Il y a donc tout un dépouillement à opérer pour entrer dans la pauvreté de Jésus, sans illusion, en acceptant l'enjeu de son amour. En abordant cette seconde étape, nous sommes donc invités à entrer avec Jésus dans la voie du salut.

Puis Jésus réalise le salut dans le mystère pascal rendu présent aujourd'hui dans les sacrements, et plus spécialement le Baptême et l'Eucharistie. Dans une troisième étape intitulée la réalisation du salut, nous sommes invités à contempler Jésus livrant sa vie au Père dans la Passion glorieuse et son Corps aux hommes dans l'Eucharistie. Notre vie à la suite de Jésus, intégrée ainsi dans sa mort-résurrection, prend une dimension nouvelle, elle devient vie pour le Père dans le Christ. Jésus nous apprend à livrer notre substance totalement, sans compter et sans rien garder pour nous. Le mystère pascal nous introduit directement dans le mystère trinitaire en faisant de nous des fils adoptifs de Dieu.

Enfin, dans une quatrième et dernière étape, nous nous situons du côté de l'homme pour approcher le mystère de son dialogue avec Dieu. Dieu parle à l'homme pour lui exprimer son amour, il attend donc de l'homme une réponse d'amour qui s'exprime dans la prière et le don inconditionné de sa vie. Simplement, nous avons repris les grandes lois de l'éducation à la prière qui permettent à l'homme d'entrer en relation avec Dieu à tous les niveaux de sa personne. Beaucoup plus que de méthode, il s'agit ici d'un essai d'anthropologie sur la prière. On n'apprend pas à prier en faisant des conférences ou des cours sur la prière mais en s'y exerçant dans le concret du quotidien.

C'est l'homme tout entier qui est engagé dans la relation à Dieu. La prière pose donc le problème de l'expérience chrétienne. Il ne faut pas se méprendre cependant sur le sens de certaines expressions utilisées au long de ces pages. Nous parlons souvent de la prière du coeur ou de goûter la Parole ou d'expérimenter l'action de Dieu en nous. Du reste, les Exercices font une large place aux motions de l'Esprit dans le coeur de l'homme que saint Ignace appelle "consolations" ou "désolations", autant de signes qui permettent le discernement spirituel. Il ne s'agit pas du tout des émotions ou des impressions passivement ressenties mais de l'acte par lequel la personne se saisit en relation avec Dieu. C'est pourquoi, avant cette dernière partie, nous avons essayé d'approcher brièvement la notion d'expérience chrétienne. Il faudrait relire ici le beau livre de M.Mouroux sur ce sujet ainsi que les pages de Karl Rahner sur l'expérience de la grâce. C'est de ces études qui nous livrent l'essentiel de l'expérience chrétienne que nous nous sommes inspiré pour écrire cette note.

Ces pages s'adressent d'abord à ceux qui ont vécu une expérience continue de prière et qui veulent y revenir au moment où ils éprouvent le besoin de se rééduquer à la prière et de retrouver leurs raisons de vivre évangéliques. Il est bien évident que l'expérience du salut se déroule au rythme même de notre histoire personnelle. Pendant la retraite, elle est vécue, pourrait-on dire, de manière concentrée et synthétique, mais elle doit se vivre aussi et surtout au fil même de notre existence. C'est pour permettre cette assimilation progressive et cette rumination intérieure de la Parole de Dieu que nous livrons ces textes brefs. Cela ne peut se faire que peu à peu. Comme il s'agit d'une expérience, le temps est un facteur de première importance.

C'est pourquoi ces textes demandent à être priés plutôt qu'à être lus. Il ne faut pas les aborder comme des exposés sur la prière pour meubler l'esprit d'idées nouvelles ou pour en discuter ensuite. Répétons-le, ce n'est pas en faisant des exposés sur l'oraison qu'on apprend à prier mais en s'y exerçant dans le labeur quotidien. A cet effet, nous avons choisi délibérément un style vocatif et non indicatif afin que le lecteur ne se sente pas dans une narration mais qu'il soit interpelé comme un "Tu", sujet réel d'un dialogue. Il faut donc reprendre ces thèmes dans une prière continue en veillant davantage à les goûter de l'intérieur qu'à les terminer à tout prix. Il ne faudrait passer au texte suivant qu'à la condition d'avoir assimilé le précédent dans la vie de prière.

Par ailleurs, ce canevas étant habituellement utilisé pour une retraite de huit ou dix jours peut aussi servir de guide à celui qui veut réaliser seul cette expérience de prière dans une retraite personnelle. Remarquons en passant que rien ne remplace une expérience vécue sous la conduite de quelqu'un qui s'est lui-même soumis à la discipline des Exercices et qui peut ainsi authentifier le cheminement et être témoin de la prière. Dès que l'on a fait soi-même cette expérience sous la conduite d'un guide expérimenté, on peut aisément la refaire seul. C'est pourquoi ces fiches peuvent servir de guide à une expérience de prière en solitude.

Une dernière question se pose : comment utiliser ces textes pour la prière ? Il importe d'abord de suivre un certain cheminement de croissance pour entrer progressivement dans l'expérience et pénétrer en profondeur dans toutes les étapes, sans être pressé de tout savoir au début. C'est pratiquement le cheminement de l'initiation baptismale qui situe l'homme pécheur en face du Dieu Saint pour se laisser ensuite illuminer par la parole du Christ et enfin s'unir à lui dans les mystères du salut. Par-dessus tout, nous ne saurions trop le répéter à ceux qui s'engagent dans une telle retraite, elle requiert une fidélité sans compromis à la prière. Il n'est pas demandé de réussir mais de se mettre résolûment dans un grand silence intérieur et d'être fidèle à l'heure de prière consacrée à chaque contemplation. En dehors de ces moments consacrés à une prière explicite, il est bon de vivre simplement en présence de Dieu, ruminant d'une manière très libre les thèmes priés. Il faut surtout veiller à ne pas accumuler les lectures, mais à en choisir quelques unes assez brèves dans la Bible ou un autre livre se rapportant à l'étape que l'on vit actuellement. Une seule vérité assimilée dans une grande unité d'atmosphère et une concentration apaisante ouvre à toutes les autres à notre insu.

A l'intention de ceux qui désireraient utiliser ces fiches pour une retraite personnelle, nous donnons à la fin une grille pour les aider. Nous avons étalé l'expérience sur une durée de dix jours laissant aux retraitants le soin de contracter ou d'élaguer chacune des étapes selon le temps dont ils disposent. L'important est de parcourir l'expérience dans sa totalité, même si, au passage, il faut laisser de côté des fiches dont les thèmes se recoupent et qui pourraient être reprises utilement dans la suite.

Nous pensons qu'il est bon de consacrer chaque jour quatre temps forts à la prière, l'idéal serait d'y consacrer chaque fois une heure, mais il faut veiller à ne pas se lasser et vivre dans un climat détendu pour que chacun trouve son rythme. Normalement, plus on avance dans la prière et plus celle-ci doit devenir aisée. S'il y avait une impossibilité de prier, il faudrait en chercher les causes qui ne sont pas nécessairement dues à la mauvaise volonté mais parfois au conditionnement humain et extérieur de la prière qui est défectueux (cf. fiche XVII). C'est ici qu'il est bon de recourir à un conseiller spirituel expérimenté pour rendre compte de sa prière et discerner avec lui les zones de dépression.

Pour chacun des temps forts, nous avons prévu deux fiches ; la première visant à donner des avis pour la prière, la seconde fournissant un thème de prière puisé dans l'Ecriture. Il est bien évident que ce texte est simplement une aide mais que l'essentiel est de se référer à la Parole de Dieu elle-même. Il y a un lien entre la première et la seconde fiche car la façon de prier s'adapte au sujet qui est choisi, ainsi on ne contemple pas la Passion comme on prie le discours sur la montagne avec les Béatitudes.

Tous ces conseils à propos de la prière pourront paraître compliqués et fastidieux à celui qui les regarde de l'extérieur, il ne faut pas trop vite décréter leur inutilité avant de les avoir essayés. C'est à l'usage qu'on en découvre les bienfaits. Dans les débuts il est bon de décomposer le mouvement pour mieux le réaliser, ensuite on l'effectue d'une manière aisée. Comme tout art, la prière exige qu'on s'y exerce patiemment en tirant parti des échecs. Mais une fois ceci dit, ces fiches n'ont qu'un but : nous introduire dans une expérience de prière, et nous aider à progresser, il ne faut pas leur en demander plus. Au fond, toutes les techniques humaines apparaissent boîteuses dans la formation à l'oraison, seul l'Esprit-Saint est le véritable maître intérieur de la prière. Dès que l'on marche seul, il faut laisser tomber les béquilles. L'Esprit est capable de faire des pauvres êtres que nous sommes de véritables hommes de prière. C'est au moment où s'achèvent ces pages que commence notre véritable recherche d'une vie en présence de Dieu.

Le Dieu du dialogue

I

1. Ne t'avance pas pour considérer Dieu comme un étrange spectacle, mais déchausse-toi devant lui.

Si tu veux connaître Dieu, tu dois mettre tes pas dans ceux des grands orants de la Bible à qui il s'est révélé. Contemple aujourd'hui la scène du buisson ardent (Ex. 3,1-6) ; avec Moïse, déchausse-toi pour connaître Dieu et il se révélera à toi comme un feu dévorant.

D'abord, regarde Moïse s'enfoncer dans le désert, c'est toujours dans un "au-delà" qu'on parvient à la montagne de Dieu. Mais là encore, Moïse doit changer de plan et se convertir. Il s'avance pour considérer cet étrange spectacle et voir pourquoi le buisson ne se consume pas. Moïse est curieux, il est attiré par le sensationnel et il veut faire le tour de la question de Dieu : "Yahvé le vit s'avancer pour mieux voir" (Ex. 3,4).

Il cherche à comprendre de l'extérieur le "pourquoi" de Dieu au moyen des considérations rationnelles. Tu ne peux t'approcher de Dieu en curieux car il ne se laisse pas enfermer dans des propos humains. Il est toujours au-delà de tes idées et irréductible à tes prises. Dieu n'est pas un problème à résoudre mais un mystère à découvrir. Une personne ne se laisse pas saisir par une étude psychologique, elle t'échappe quand tu veux l'étreindre ou l'expliquer. Dieu est l'inconnaissable, l'inexplicable : "Une chose expliquée cesse de nous intéresser, écrivait Nietzsche, aussi Dieu nous intéressera-t-il toujours" !

C'est pourquoi Yahvé va prendre l'initiative de la rencontre en appelant Moïse par son nom.

La seule attitude devant Dieu est de lui dire : "Me voici". C'est un acte de disponibilité, d'humilité, de pauvreté et de consentement. Yahvé demande à Moïse de se déchausser, c'est à dire de perdre toutes ses sécurités, ses protections et ses idées sur lui. Yahvé est le trois fois Saint qui se révèle dans un dialogue de liberté et d'adoration.

Connaître Dieu, c'est reconnaître qu'il est là, irréductible à tes idées et qu'il se révèle quand il le veut bien et à qui il veut. Dans l'oraison, refuse toute représentation immédiate de Dieu. Tu es toujours sous le régime de la foi et non de la claire vision. Saint Paul dira que "le mystère de Dieu surpasse toute connaissance". Tu saisis l'absolu de Dieu "comme dans un miroir", par énigme, ajoute-t-il encore (1 Cor. 13, 12).

Ne cherche pas à t'avancer vers Dieu pour l'inventorier. Cesse de le traiter comme un objet mais invoque-le comme un sujet libre. Le premier pas qui te mènera à ce résultat est le geste d'abaisser les mains ou de te déchausser. Le moment décisif où commence la vraie rencontre avec Dieu n'est pas dans le mouvement que tu fais vers lui, mais dans le mouvement de recul, d'humilité où tu t'effaces devant lui. Dieu n'est pas un pays conquis mais une terre sainte que tu dois fouler pieds nus.

Lorsque tu as accepté de ne plus avoir d'idées sur la question, Dieu se révèle lui-même. Et là encore, tu ne parviendras pas à traduire cette expérience en termes clairs et précis. Yahvé se révèle à toi comme à Moïse comme le feu, c'est à dire comme quelque chose que tu ne peux pas saisir ni retenir dans tes mains. Il se donne comme un feu dévorant. Le feu est une matière fascinante et étrange. Il illumine et transforme en lui tout ce qu'il touche. Lorsque saint Jean de la Croix évoquera les plus hauts sommets de l'union à Dieu, il utilisera la comparaison de la bûche consumée par le feu.

Dans l'oraison, tiens-toi pauvre et nu devant le buisson ardent et incandescent. Ne dis rien mais offre à ce feu dévorant toute la surface dénudée de ton être. Dieu est celui qui veut te dévorer. Tu formes un même être avec lui et tu deviens participant de sa nature divine. Il transforme en lui ceux qui s'offrent à sa grâce transformante dans une attitude de déchaussement. Par ton union à lui, il est assez puissant pour embraser mystérieusement le monde du feu de son amour.

2. Emerveille-toi devant Dieu qui te parle. Il ne cesse de reprendre le dialogue que tu as interrompu.

Tu éprouves chaque jour la solitude d'Adam au jardin d'Eden : "Il ne trouvait pas d'aide qui lui fut assortie" (Gen. 2, 20). Comme lui, tu es émerveillé lorsqu'un être semblable à toi t'adresse un regard, un sourire ou une parole qui t'arrache au délaissement de ta solitude. Tu es fait pour la rencontre, le sourire, le regard, pour entrer en relation, pour aimer d'un amour durable. Comme Marie à l'Annonciation est comblée de joie en se voyant aimée de Dieu, tu connais, toi aussi, l'expérience de la plénitude de l'amour, tu existes soudain parce que tu es reconnu et aimé de ton frère.

Lorsque tu ouvres la Bible pour y entendre

la Parole de Dieu éprouves-tu le même émerveillement ? Ne ressembles-tu pas trop souvent au fils prodigue qui est tellement obnubilé par les dons du Père pour les consommer qu'il ne reconnaît plus le donateur ? Il ne les accueille plus comme un présent ou un signe du don plus profond que le Père veut faire de lui-même à son fils.

Tu peux te lever de bon matin, et même la nuit, pour prier ; Dieu t'a déjà devancé dans ton oraison et c'est lui-même qui te prie de bien vouloir l'accueillir dans la proposition d'amour qu'il te fait. Ouvrir le livre de la Parole, c'est toujours décacheter une lettre d'amour qui s'adresse à toi personnellement. Tu devrais être émerveillé devant cet amour inquiet de Dieu en quête de l'homme et guettant sa moindre réponse.

Ce n'est pas toi qui pars à sa recherche, mais lui qui ne cesse de frapper à la porte de ton coeur (Ap. 3,20), pour que tu lui ouvres et partages le festin de son amitié.

Dieu n'a pas besoin de toi, il est au-dessus de tout, il est le Tout-Autre, il est en lui-même joie, bonheur, amour, vérité et sainteté, et il veut t'appeler à nouer avec lui un dialogue d'amour pour te communiquer tout ce qu'il est. Il a plus faim et soif de toi que tu ne l'as de lui. Et quand il parle, il ne te dit pas des paroles en l'air ; au contraire, il profère une parole qui exprime son être profond. Quand Dieu te parle, l'important d'abord n'est pas ce qu'il a à te dire, mais bien le fait qu'il te parle. Tu es toujours émerveillé devant quelqu'un qui t'adresse la parole parce que tu y vois le don d'une personne qui s'exprime librement, se communique et se livre elle-même. Comme à Abraham, Dieu te fait partager son désir de nouer une alliance avec toi. Sa parole exprime et épuise l'amour infini qu'il te porte. Il ne parle que pour dire : "Je t'aime".

Tu n'auras jamais fini de contempler cet amour. A certains jours, il t'apparaîtra comme une incroyable folie. Ne va pas alors te décourager, quel que soit ton péché, ton oubli et ton infidélité, c'est toujours Dieu qui refait les premiers pas et reprend le dialogue que tu as interrompu : "Comme il était encore loin, son père l'aperçut et fut touché de compassion ; il courut se jeter à son cou et l'embrassa longuement" (Lc. 15,20).

Prier, c'est demeurer dans l'étreinte du père ému de compassion à la vue de notre misère. Bien plus, au coeur de ta pauvreté, tu découvres que Dieu n'a jamais cessé de te désirer. La vraie prière contemplative naît de cet émerveillement en face de l'amour trinitaire.

Quand tu auras pressenti cette tendresse de Dieu pour toi - car tu ne pourras jamais la comprendre totalement - tu émergeras un peu de ta grossiéreté naïve et ton coeur brûlera du feu même du buisson ardent : "Oh ! un homme comme moi ferait une lieue pour fuir cet amour s'il le sentait rôder autour de lui" (G.Greene).

3. Le signe que tu as commencé de connaître Dieu, c'est le désir de le connaître davantage.

Veux-tu savoir si tu chemines dans la connaissance de Dieu ? Interroge les grands orants de la Bible et accepte de revivre leur longue expérience. Moïse a contemplé le Dieu insaisissable du buisson ardent, il s'est laissé apprivoiser par Dieu et il est devenu son intime, son familier : "Yahvé conversait avec Moïse face à face, comme un homme converse avec son ami" (Ex. 33,11).

Moïse est donc déjà parvenu à une grande connaissance de Dieu qui lui a révélé son nom, c'est à dire le fond de son être intime. Il est l'ami de Yahvé. Et cependant regarde, Moïse demande une connaissance de Dieu plus grande encore. Relis dans le silence cette prière de Moïse (Ex. 33, 12 à 23) et fais tienne la triple demande qu'il adresse à Dieu : "Fais-moi connaître tes voies, fais-moi connaître ta grâce, fais-moi, de grâce, voir ta Gloire !".

Le signe que tu as commencé de connaître Dieu ne se trouve pas dans les belles idées que tu as sur lui et encore moins dans la jouissance que te procure la prière, mais dans le désir ardent de le connaître davantage. Tu ne désirerais pas Dieu si tu ne savais pas qui il est. Si tu n'avais pas Dieu en toi, tu ne pourrais pas en ressentir l'absence. C'est dans le creux du désir que se dévoile la présence de Dieu. C'est une présence dans l'absence.

Dieu est mystère et il se dévoile à toi progressivement. Plus tu iras loin dans le monde de la connaissance de Dieu, plus tu t'apercevras que le mystère demeure et s'épaissit, et plus tu désireras le connaître davantage : "S'il y a vraiment désir, si l'objet du désir est vraiment la lumière, le désir de la lumière produit la lumière" (S.Weil, Attente de Dieu, p.73).

Veux-tu connaître la qualité de ta vie de

prière ? Commence par te demander quelle est la qualité de tes aspirations et de tes désirs ? Paul dira : "Ceux qui vivent selon l'Esprit désirent ce qui est spirituel" (Rm. 8,5). Plus tu seras envahi par l'Esprit de Dieu, plus tes désirs correspondront à ceux de l'Esprit. Encore faut-il que ces aspirations soient effectives et aboutissent à une réalisation au moins partielle. Alors pose-toi cette question : "Ai-je soif de Dieu ? Mon coeur et ma chair crient-ils vers lui ?" La vraie connaissance de Dieu ne peut pas s'exprimer. Dieu est l'indicible : "Seigneur, fais-moi te désirer !" L'intensité de ton désir de Dieu est le signe de la qualité de ta charité. As-tu la nostalgie de la prière ?

Dieu répond au désir de Moïse en l'introduisant progressivement dans son mystère mais pour cela il doit passer par une mort radicale : "Tu ne peux pas voir ma face et demeurer en vie" (Ex. 33, 20). A présent, tu connais Dieu comme dans un miroir ensuite tu le connaîtras comme tu es connu, face à face, quand tu auras accepté de mourir. Tu ne peux pas imaginer ce que tu verras demain.

Pour l'instant, accepte de te tenir dans la fente du rocher, plongé dans la ténèbre la plus épaisse, et enveloppé dans la main de Dieu. Alors comme Moïse, tu verras Yahvé de dos, c'est à dire dans les signes de sa présence. Dieu passe alors et clame son nom : "Yahvé, Yahvé, Dieu de tendresse et de pitié, lent à la colère, riche en grâce et fidélité" (Ex. 34,6). Chaque fois que Dieu se montre à toi, il se révèle comme la miséricorde universelle.

Et puis, vois la réaction de Moïse quand Dieu est passé. Il tombe à genoux sur le sol, se prosterne et s'humilie davantage. L'effet de l'amour, c'est l'adoration, l'humiliation de toi-même. C'est alors la prière d'intercession de Moïse : "Si vraiment, Seigneur, j'ai trouvé grâce à tes yeux, daigne mon Seigneur nous accompagner" (Ex.34, 9). Tu reconnaîtras la vérité de ton oraison à l'humilité de toute ta vie et au souci de servir tes frères et d'intercéder pour eux. Comme Moïse, tu ne peux être intercesseur et médiateur que dans la mesure de ton intimité avec Dieu. Que l'Esprit-Saint creuse en toi une âme de désir.

4. Approche-toi de l'expérience d'Elie à l'Horeb avec un coeur de disciple. Tu communieras à son intimité avec Dieu.

Dans la contemplation, sois attentif à ne pas laisser dans l'ombre certains aspects du mystère de Dieu qui t'apparaissent parfois inconciliables. Ainsi le sens de sa sainteté doit s'allier à l'expérience de son intimité. Tu as déjà perçu l'intimité qui existait entre Moïse et Yahvé ; en accompagnant Elie à l'Horeb tu communieras à son intimité avec Dieu.

Ces hommes de la Bible, tels qu'Abraham, Moïse et Elie ne sont pas des personnages du passé, ce sont nos pères dans la foi, les saints de l'Ancien Testament. Tu peux donc les prier pour qu'ils exercent à ton égard leur paternité spirituelle. Ainsi Abraham t'obtiendra la grâce d'enraciner ta vie dans la foi à la Parole de Dieu. Approche-toi aussi de la vie profonde d'Elie avec un coeur de disciple. Il est le père des contemplatifs qui vivent sans cesse à la recherche de Dieu. Il peut te communiquer une part de ce feu intérieur qui le consumait pour Yahvé : "Je suis rempli d'un zèle jaloux pour Yahvé Sabaoth" (1 R. 19,14).

Replace cette expérience dans l'ensemble des théophanies. En ce lieu même, Dieu a révélé son nom à Moïse, c'est à dire son être intime. Il lui a donné la Loi et l'Alliance. Dans un environnement terrifiant de tonnerre et d'éclairs, il a manifesté sa sainteté. Mais il faut dépasser ces manifestations violentes pour découvrir sa présence spirituelle dans l'intimité et la douceur.

Elie est celui qui se tient devant Dieu pour le servir.(1 R. 17,1). Il a beaucoup travaillé pour son Règne. C'est un coeur apostolique rempli de zèle pour la maison de Yahvé. Mais Elie préfère dire : "Dieu en face de qui je me tiens". Toi aussi, tu brûles pour la mission, mais Dieu n'a pas besoin de tes services. Le seul service qu'il attend de toi, c'est l'attention et la présence. Il veut que tu te tiennes devant lui "Celui-ci est l'ami de ses frères, qui prie beaucoup pour le peuple, et pour la ville sainte tout entière, Jérémie, le prophète de Dieu" (2 Mac. 15,14).

Dieu a mis ses délices à être avec toi (Pr. 8,31), il attend que tu demeures avec lui. Prier, c'est perdre gratuitement ton temps devant lui. C'est une grâce d'être joyeux avec lui et de percevoir sa présence.

Avant de se révéler à Elie, Dieu le fait passer au désert, dans la solitude, le dépouillement, la lassitude et le découragement. Elie connaît le sentiment d'échec qui habite si souvent ton coeur d'homme et d'apôtre : "Je ne vaux pas mieux que mes frères". C'est pourquoi saint Jacques fait le parallèle avec nous : "Elie n'était qu'un homme soumis aux mêmes misères que nous" (Jc. 5,17).

Au terme de cette longue route douloureuse du désert, Elie fera l'expérience de l'intimité avec un Dieu tout proche. Expose ton visage fatigué au souffle impalpable de cette brise qui exprime, autant qu'un symbole peut le faire, la spiritualité de Dieu et sa douceur.

A Elie est accordée, dans une rencontre vivante, une révélation complémentaire sur l'être de Dieu, il est non seulement le Très-Haut, le Tout-Puissant, mais le Dieu présent dans cette intimité qui est le propre de l'Esprit. La prière doit te faire goûter affectivement cette présence de Dieu. Sa parole est-elle douce à ton palais, plus que le miel à ta bouche ? Tes yeux et ton coeur d'homme doivent voir et goûter combien Dieu est bon : "Ta parole est la joie de mon coeur" (Ps. 119,111).

Seule, la plénitude de cette révélation dans l'évangile te dira jusqu'où va cette intimité : dans la Sainte Trinité, c'est l'intime communion des trois Personnes divines qui s'accueillent et se donnent mutuellement. Dans la mesure où tu écoutes et gardes la parole de Jésus, tu demeures dans ce mouvement de communion et la Trinité est présente en toi. Eclaire cette théophanie par l'enseignement de saint Jean (16,23 et 15,1-17).

Comme Jacob, tu peux dire : "Yahvé est en ce lieu et je ne le savais pas" (Gen. 28,16). A l'oraison, descends toujours plus profond dans cette demeure de Dieu qui ne t'arrache pas au monde réel mais te rend encore plus présent à lui. Quand tu reviendras parmi tes frères, tu contempleras ce mystère dans leur coeur et tu marcheras en présence du Seigneur sur la terre des vivants.

5. Tu existes et tu vis du regard d'amour que Dieu porte sur toi.

Tu sais combien les athéismes modernes rejettent un Dieu qui t'empêcherait d'exister en homme libre. A ce sujet, Merleau-Ponty écrivait : "La conscience meurt au contact de l'absolu". Et en un certain sens ils ont raison, si Dieu était vraiment l'autre, tu serais dans l'absolue nécessité d'entreprendre une lutte terrible pour ta libération. Mais Dieu n'entre pas plus dans la catégorie de "l'autre" que dans la catégorie du "même".

Pour Dieu, te créer ne signifie pas te poser dans l'être d'une manière impersonnelle, il n'est pas pour toi un "autre". De même, tu ne peux pas penser ta relation à lui dans un rapport d'identité, tu n'es pas le "même" que Dieu. Dire que tu es créé par lui, c'est affirmer en même temps que "Dieu n'est pas toi", mais "qu'il n'est pas, non plus, un "autre".

Cette apparente contradiction échappe à ton expression conceptuelle mais tu peux la percevoir dans ta conscience religieuse. C'est pourquoi tu dois expérimenter dans ta prière le lien de création qui t'unit à Dieu. A la source de toute prière, il y a cette prise de conscience du regard d'amour de Dieu qui te crée sans cesse. C'est faute de commencer par ce "réel" que trop d'oraisons deviennent évanescentes. C'est ce lien de création qui fonde toute ta vie spirituelle et ta prière ; c'est pourquoi au début d'une retraite, après avoir contemplé le Dieu Tout-Autre, il te faut contempler la présence créatrice de Dieu. Le psaume 139 prié lentement peut te situer ainsi devant Dieu qui ne cesse aujourd'hui de te faire et de te refaire.

Prends conscience de ton existence, de ton corps et de ton esprit, c'est Dieu qui te fait être et penser. Il ne te crée pas comme les choses et les êtres inanimés par un vouloir impersonnel. Dieu ne crée pas ainsi la personne car ce serait un acte dépourvu de sens et les athées auraient raison de refuser un Dieu qui limiterait leur liberté. Il te crée par un acte qui anticipe et fonde ta dignité, c'est-à-dire par un appel. Les choses naissent de l'ordre de Dieu, tu nais de son appel. Dieu n'est donc pas un autre sujet situé sur le même plan que toi, mais il est la véritable source de ton être, plus proche et plus intime en toi, que toi-même.

"Dieu voit, c'est-à-dire qu'il tourne sa face vers l'homme et que, par là même, il donne à l'homme son visage propre. Je suis moi-même du fait qu'il me voit. L'âme vit du regard d'amour que Dieu porte sur elle. Il y a là une profondeur infinie, un bienheureux mystère. Dieu est celui qui voit avec amour ; par son regard, les choses sont elles-mêmes; par son regard, je suis moi-même" (1)

Cette présence créatrice de Dieu qui t'enserre est donc une présence universelle d'amour (Ps. 139,13-22). En te créant, Dieu t'appelle et il est devant toi comme un "Tu". Si tu existes, c'est que tu es une oeuvre d'amour de Dieu.

Prier, c'est simplement rendre conscient ce dialogue existentiel entre Dieu et toi et entre Dieu et tous les hommes. Dans les profondeurs, ton être a une structure dialogale. Dire "Toi" à Dieu dans la prière, c'est reconnaître qu'il est la

---

(1) R.GUARDINI, Le Dieu vivant, p. 37-39.

source de ta personne libre. Relis les versets 19 à 22 du psaume 139 et tu comprendras que l'impie est celui qui ne veut pas se laisser créer et faire par cette présence. Tu es impie quand tu prétends te réaliser en dehors de Dieu ou quand tu refuses de te recevoir de Dieu ou de répondre à son appel créateur. Tu n'en demeures pas moins une personne libre mais tu entres en contradiction avec ton être propre, et si ce refus s'éternisait, ce serait la damnation.

Dieu ne te fait libre que pour mendier ton consentement à son amour créateur. Prier, c'est accepter et désirer être connu par Dieu. N'imite pas Adam au jardin d'Eden qui se cache pour échapper au regard créateur de Dieu. Accepte le nom propre qu'il te donne en t'adressant un appel. Dans l'oraison, sois heureux d'être l'oeuvre du regard de Dieu, remonte à l'intérieur de cet influx créateur et offre à Dieu tout ce que tu as et ce que tu es dans un mouvement de louange et d'action de grâces.

6. Dans le regard qui vient vers toi, le visage de Dieu se dévoile et c'est alors que prend naissance ce rapport d'amitié où deux êtres se regardent les yeux dans les yeux.

As-tu remarqué combien les psaumes prêtent à Dieu des attitudes humaines ? Il se penche vers l'homme, il voit, il scrute, il connaît, il écoute, il entend, il est proche, il accueille et il a pitié. Pourtant Dieu n'est pas un homme et aucune créature ne peut donner une idée de sa Gloire. Il est simplement le Dieu que tu connais dans la rencontre.

Cependant Dieu a des desseins et des intentions, il veut entrer en communion avec toi. Le fond de l'être de Dieu, c'est l'Amour, et le voeu de l'Amour, c'est le partage. Pour traduire cet amour, il utilise des images. Il se compare à la maman qui berce son enfant et le presse contre sa joue. Toute la Bible est illuminée par cet amour du Dieu-Mère : "L'amour que Dieu éprouve pour nous se dit en hébreu 'rabamim', pluriel du sein maternel: un amour maternel donc, et multiplié à l'infini" (E.Charpentier). Il se compare aussi au père, à l'époux, à l'ami. En un mot, le coeur de Dieu déborde de tendresse pour toi et les différents amours que tu peux connaître sur terre (amour conjugal, maternel, paternel ou amitié) ne sont qu'un pâle reflet de cet amour total qui habite dans le coeur de Dieu.

C'est parce que tu lis cet amour en Dieu que tu lui découvres un visage comme celui d'un époux, d'une mère ou d'un ami. Dieu est celui qui tourne son visage vers toi et qui, par là même, te donne ton visage propre. Il te regarde en face, il s'ouvre et se montre à toi. Tu sais bien que le regard d'un homme est une porte ouverte sur le fond de son coeur. C'est dans le regard bouleversant de tes amis que tu te découvres compris et aimé par eux.

Ainsi Dieu est celui qui voit, mais son regard est amour et traduit l'infinie tendresse de son coeur. Il te voit avec toutes possibilités et t'invite à y correspondre. Il voit le mal qui est en toi et le mesure, il voit aussi ton péché et le juge. Son jugement va jusqu'au fond de ton coeur et rien ne subsiste devant lui. Mais tu sais bien que son regard est plein de miséricorde et de pardon et qu'il te sauve. Le regard de Dieu ne dévoile pas ton mystère mais il te garde et t'abrite. Etre vu par lui ce n'est pas être jugé ou abandonné, mais , au contraire, être protégé par l'abri le plus sûr. Son amour ne cesse de te créer en suscitant en toi des virtualités de résurrection.

Prier, c'est pénétrer sous le regard de Dieu et désirer être vu par lui jusque dans les profondeurs les plus secrètes de ton être. La vraie prière commence le jour où tu découvres ce regard d'amour, mais tu as besoin pour cela que Dieu illumine les yeux de ton coeur. Tu ne peux voir la face de Dieu qu'en te laissant illuminer par la lumière de ses yeux. Voir la face de Dieu, c'est prendre conscience d'être pénétré par son regard, dans lequel seul tu peux contempler la lumière : "Dans ta lumière, nous voyons la lumière." (Ps.35, 10). C'est l'éclat de sa face qui t'illuminera et fera resplendir l'univers.

A l'oraison, supplie Dieu de se dévoiler à toi : "Seigneur, fais luire ta face sur nous et nous serons sauvés" (Ps. 80,4). Alors tu connaîtras cette expérience étonnante que désirer voir Dieu, c'est être vu par lui qui scrute les profondeurs de l'homme et les abîmes. A ce moment-là prendra naissance un rapport d'amitié où tu regarderas Dieu les yeux dans les yeux : "Tes guetteurs élèvent la voix, ensemble ils crient de joie, car ils voient les yeux dans les yeux Yahvé revenant à Sion" (Is. 52, 8).

Dès que ce rapport est établi, les paroles deviennent inutiles car tu comprends tout dans le regard de Dieu. Tu te places délibérément devant lui avec ta pauvreté, ton insuffisance, ton péché mais aussi avec ton désir de comprendre son intention et de t'accorder à sa volonté. Sous son regard, il y a toujours une possibilité indestructible de rénovation. Tout est possible de la part de Dieu, mais tout est en danger dès que tu n'acceptes plus qu'il en soit ainsi.

"La contemplation chrétienne est trinitaire, c'est le feu de deux regards qui se dévorent par amour" (P.M.D.Molinié, o.p.). Au coeur de la Trinité, les Personnes se regardent, s'accueillent et se livrent dans l'amour mutuel. Au cours de son passage sur terre, tu vois souvent Jésus jeter un regard d'admiration et de louange sur le Père. Au baptême, le Christ a illuminé tes yeux en te rendant capable de communier à son regard d'amour. Prier, c'est tout simplement entrer dans cet échange de regards qui s'épanouit en communion d'amour.

7. Quand Dieu t'aime, il te modifie dans le tréfonds de ce que tu es.

As-tu fait l'expérience d'une véritable amitié ? Tu étouffes dans ta peau et tu cries pour qu'on t'appelle par ton nom. Tu as besoin qu'un autre te rencontre pour que tu deviennes toi-même. Le jour où tu recevras la grâce d'une véritable affection, tu seras changé, transformé dans le tréfonds de ta personne? Quand un être de chair et de sang entre dans ta vie, il la bouleverse et lui donne un sens nouveau. Tu as rencontré quelqu'un qui est venu à toi et t'a dit des mots qui sollicitent une réponse et changent toute ta vie. Tu demeures avec tes questions et tes difficultés mais tu les regardes d'une autre façon ; ce qui faisait dire à une fille : "Aimer, ça ne sert à rien mais ça change tout !".

Il en va de même quand Dieu te rencontre et t'adresse une parole d'amitié. L'amour de Dieu est si fort, si puissant, qu'il est capable de te redonner la virginité du coeur. Souviens-toi du prophète Osée et de sa femme prostituée. Saint Augustin parlera de l'amour virginisant de Dieu. Dieu ne t'aime pas parce que tu es gracieux, mais il t'aime pour que tu le deviennes. Tu peux changer, tu es changé, parce que lui, Dieu, t'a rencontré, t'a interpellé, parce que son amour même t'a changé.

L'amour de Dieu pour toi n'est pas un vain mot, c'est une parole qui réalise ce qu'elle porte en elle. Elle est efficace, opératoire. De même que la rencontre avec l'autre te change, la rencontre avec le Dieu de Jésus-Christ te transforme dans les profondeurs de ton être. Entre le Dieu trinitaire et toi, l'alliance est si totale, si intime, si concrète qu'il est désormais impossible de parler de lui sans parler en même temps de toi.

Entre toi et moi, dit Dieu, il y a un lien que rien ne saurait détruire. Je suis ton Dieu, tu es mon fils. Nous mettrons en commun, moi mon éternité, ma vie et ma sainteté, toi ton quotidien, ta vie terrestre et ta pauvreté. Ton existence va s'unir à la mienne et nous ne serons jamais plus séparés car je suis Dieu et je ne remettrai jamais plus mon alliance en question. D'une certaine manière, nos destinées sont liées l'une à l'autre. Il est le Dieu d'Abraham, d'Isaac et de Jacob, comme il est le Dieu de chacun de nos prénoms, voulant faire comprendre par là qu'il lie sa vie à la nôtre.

Entre toi et moi, il y a une communauté d'être dans laquelle s'enracine une communauté de regard et d'amour. C'est en Jésus-Christ surtout que cette alliance sera réalisée parfaitement. Descends dans le profond de ton coeur pour y discerner comme à sa source ce courant de vie trinitaire qui irrigue toute ta personne. Laisse cette vie divine t'envahir et t'emporter dans le sein du Père, sous la mouvance de l'Esprit du Christ.

C'est dans la certitude que tu es l'allié de Dieu que s'enracine profond ta prière. Ce n'est pas une escalade verticale qui te ferait atteindre Dieu dans une extension sans espoir. C'est la prise de conscience lucide et pauvre, savoureuse et souvent déchirante que Dieu t'a choisi gratuitement et a voulu lier sa destinée à la tienne : "Si Yahvé s'est attaché à vous et vous a choisis, ce n'est pas que vous soyez les plus nombreux de tous les peuples : car vous êtes les moins nombreux d'entre tous les peuples, mais c'est par amour pour vous" (Dt. 6,7-8).

L'oraison est ce moment privilégié où tu contemples l'amour du Père t'engendrant à la vie filiale. Libère le fils de Dieu captif au fond de ton être et permets-lui de s'épanouir librement en toi. Tu n'auras plus alors à chercher des idées ou des mots pour exprimer ta prière. Il te suffira d'exister comme fils de Dieu et ton être lui-même sera une prière.

8. Dans la nuit, tu cries pour que Dieu t'appelle par ton nom.

Il t'est sûrement arrivé de quitter l'univers où tu es connu et aimé pour vivre dans un pays étranger où tu n'existes pour personne. Et si dans la foule déserte survient quelqu'un qui te "reconnaît" et t'appelle par ton nom, tu fais soudain l'expérience d'une nouvelle naissance. Dès le moment où une amitié vraie naît entre deux êtres, il y a toujours un "avant" et un "après" entre lesquels on peut dire : "Depuis que je te connais, je ne suis plus le même". Jacques de Bourbon Busset fait dire à un de ses personnages : "J'étais, avant de te connaître, un rien qui se croyait quelqu'un. Aujourd'hui, je suis quelqu'un qui se sait un rien" (1)

Quand tu ouvres la Bible, tu vois ainsi des hommes comblés ou insatisfaits, saints ou pécheurs, que la rencontre de Dieu rend heureux parce que leur vie a soudain pris un sens nouveau. Tous ceux que Dieu a rencontrés pourraient chanter avec Jean Ferrat : "Que serai-je sans toi qui vins à ma rencontre ?". Qui que tu sois, tu es le frère de ces hommes dans leur aventure. Serais-tu le plus grand pécheur, le plus déséquilibré et le plus pauvre, toutes ces situations sont une chance offerte à Dieu de te rencontrer.

Dans la prière, crie ce désir d'être séduit par Dieu : "Tout homme crie pour qu'on l'appelle par son nom" (S.Weil). Tu souffres sans savoir pourquoi et souvent tu souhaites avec Elie de mourir tellement tu en as marre de tout. Sois vrai dans ta prière, ne fais pas comme si tout allait bien et dresse devant Dieu ces montagnes de souffrance, de rancoeur, d'orgueil et d'impureté. Si tu pries avec foi et en vérité, Dieu transportera ces montagnes dans la mer. Prie-le assez longtemps et assez fort pour qu'il transforme cette amertume en douceur.

---

(1) Le silence et la joie, Gallimard, 1957, p.64.

Au sein de cette paix austère, tu te découvriras aimé de Dieu. Rien ne lui échappe, il te voit dans le secret et il t'aime. Laisse retentir en toi ces paroles d'Isaïe : "Je t'ai appelé par ton nom, tu es à moi... Parce que tu comptes beaucoup à mes yeux et que tu as du prix et que moi je t'aime. Ne crains pas parce que je suis avec toi" (Is. 43,1-5). Devant Dieu, tu comptes, tu es précieux comme la prunelle de ses yeux et il t'aime. Prends le temps d'épeler chacune de ces paroles, écris-les pour les mettre devant toi comme un mémorial. Tu aimes garder auprès de toi les photos et les lettres de ceux que tu aimes, contemple ainsi ces paroles de Dieu. Dieu te donne un nom nouveau comme Abraham. C'est important, un nom ! Quand tu peux nommer quelqu'un par son prénom, déjà s'établissent entre toi et lui des relations personnelles.

Lorsque tu as pour quelqu'un un nom personnel, c'est le signe que tu es devenu pour lui un être unique, que tu as échappé à cette foule anonyme et grégaire dans laquelle on étouffe. Entre amis, tu uses même des diminutifs ou de noms dont toi seul connais le secret et que tu es seul à pouvoir donner pour de vrai.

Dieu a pour toi un nom particulier, un nom qu'il est seul à connaître avec toi et qu'il te révèle un peu à la fois dans la mesure où ta vocation se précise. Une carmélite m'écrivait récemment comment le contact avec un authentique homme de prière lui avait révélé son nom propre : "Voilà dix ans, écrit-elle, que je suis en relation avec Dom L.S., je lui dois d'avoir 'délivré' en moi une parole secrète du Seigneur". Et ce nom t'engage car il exprime ton activité ou ta destinée. Quand Dieu t'appelle par ton nom, il a prise sur ton être profond.

Car ton nom est un appel. Quand un enfant appelle une femme : "Maman !" c'est un appel à ce qu'elle soit vraiment pour lui sa maman. Lorsque Dieu nomme son ami "Abraham", c'est pour qu'il soit vraiment "père des peuples". Le nom que Dieu te donne est unique et il est pour toi un appel à une mission unique. As-tu découvert ton nom propre? Tu es seul à pouvoir aimer Dieu de cette façon.

Prier, c'est peut-être d'abord cela : savoir, croire que tu as pour Dieu un nom, que cela est un appel à une amitié unique en laquelle il fait bon te perdre et qui donne un sens à ta vie. Mais - et cela est extraordinaire - parce que tu acceptes cette amitié avec Dieu, Dieu lui-même reçoit maintenant un nom nouveau. Son nom sera désormais dans la Bible : le Dieu d'Abraham, le Dieu d'Isaac, le Dieu de Jésus-Christ. Dans la prière, tu le reconnais et tu l'appelles comme le Dieu de ton nom propre. Il est vraiment TON DIEU. Il ne peut mieux te signifier qu'il est un Dieu connu dans la rencontre : "Dieu n'a pas honte de s'appeler notre Dieu" (Heb. 11,16). C'est à travers ta manière de rencontrer Dieu que les autres, autour de toi, auront la chance de découvrir ou ne découvriront pas le vrai visage de Dieu. Quand tu as été saisi par Dieu et qu'à ton tour tu appelles tes frères par leur nom, c'est Dieu qui, à travers toi, les rencontre.

9. Et voilà que soudain, tu es devenu Quelqu'un.

Cette parole de Claudel au moment de sa conversion pourrait tout aussi bien convenir à la prière chrétienne. Souvent tu te demandes ce qu'il faut dire ou faire à l'oraison, et tu mets en oeuvre toutes les ressources de ta personne, mais tout cela n'exprime pas le fond de toi-même. La prière est d'abord une expérience d'être et de présence. Quand tu rencontres un ami, tu es, bien sûr, intéressé par ce qu'il dit, pense ou fait, mais ta véritable joie, c'est d'être là, devant lui et d'expérimenter sa présence. Plus l'intimité sera complète avec lui et plus les paroles deviendront inutiles, voire même gênantes. Toute amitié qui n'a pas connu cette expérience de silence est inachevée et laisse dans l'insatisfaction. Lacordaire disait : "Heureux deux amis qui savent s'aimer suffisamment pour se taire ensemble".

Au fond, l'amitié est le long apprentissage de deux êtres qui s'apprivoisent mutuellement. Ils veulent quitter l'anonymat de l'existence pour devenir uniques l'un pour l'autre : "Si tu m'apprivoises, nous aurons besoin l'un de l'autre. Tu seras pour moi unique au monde. Je serai pour toi unique au monde" (Le Petit Prince). Soudain tu découvres que l'autre est devenu quelqu'un pour toi et que sa présence te comble au-delà des mots.

La parabole de l'amitié peut t'aider à comprendre un peu le mystère de la prière. Tant que tu n'as pas été séduit par la Face de Dieu, la prière demeure encore extérieure à toi, elle s'impose du dehors mais elle n'est pas ce face à face où Dieu est devenu Quelqu'un pour toi. La voie de la prière sera ouverte pour toi le jour où tu feras réellement l'expérience de la présence de Dieu. Je puis te décrire le cheminement de cette expérience mais au terme de cette description tu seras encore au seuil du mystère. Tu ne pourras y être admis que par grâce et sans aucun mérite de ta part.

Tu ne peux réduire la présence de Dieu à

un "être-là" dans un vis-à-vis de curiosité, de juxtaposition, d'asservissement ou de nécessité, mais c'est une communion, c'est à dire une sortie de toi vers l'autre. C'est un partage, une "Pâque", un passage de deux "moi" à l'intérieur d'un "nous" qui est à la fois don et accueil.

La présence à Dieu suppose donc une mort à toi-même dans la prétention qui te pousse sans cesse à mettre la main sur les personnes qui t'entourent pour te les approprier. Accéder à la véritable présence de Dieu, c'est opérer une brèche dans ton moi, c'est ouvrir une fenêtre sur Dieu dont le regard est l'expression la plus significative. Et tu sais bien qu'en Dieu, regarder c'est aimer (1).

A l'oraison, laisse-toi séduire par cette présence car tu as été "élu pour être saint et immaculé en la présence de Dieu dans l'amour" (Ep.1, 4). Que tu en aies conscience ou non, cette vie en présence de Dieu est réelle, elle est de l'ordre de la foi. C'est une existence l'un pour l'autre, un face à face réciproque dans l'amour. Les paroles deviennent alors de plus en plus rares, à quoi bon rappeler à Dieu ce qu'il sait déjà puisqu'il te voit en profondeur et t'aime. La prière, c'est de vivre intensément cette présence et non de la penser ou de l'imaginer. Quand il le jugera bon, le Seigneur te la fera expérimenter au-delà des mots, et tout ce que tu pourras alors en dire ou en écrire t'apparaîtra faible ou dérisoire.

Tout dialogue avec Dieu suppose à l'arrière plan cette toile de fond de la présence. Du moment que tu t'es établi en profondeur dans ce face à fa-

---

(1) St JEAN DE LA CROIX, Cantique spirituel, 33,4.

ce où tu regardes Dieu les yeux dans les yeux, tu peux toucher tout autre registre à l'oraison : s'il est accordé à ce ton principal et fondamental, tu es vraiment en prière. Mais tu peux aussi envisager cette présence à Dieu sous trois éclairages différents qui te font pénétrer de plus en plus dans l'épaisseur de cette réalité. Etre présent à Dieu, c'est être devant lui, avec lui et en lui. Tu sais bien qu'en Dieu il n'y a ni dehors, ni dedans, mais un seul être toujours en acte. C'est du point de vue de l'homme que cette attitude se laisse voir sous plusieurs facettes. N'oublie jamais que si tu peux dialoguer avec Dieu, c'est parce qu'il a bien voulu dialoguer avec toi. Cette triple attitude de l'homme correspond donc à un triple visage de Dieu dans la Bible : le Dieu du dialogue est le Saint, l'Ami et l'Hôte.

10. Tu es devant Dieu.

Quand tu as expérimenté la présence de Dieu, les paroles des psaumes commencent à te parler au coeur. Il y a en particulier un petit mot qui revient à chaque verset : "Toi". S'il fallait résumer l'attitude de l'orant dans la Bible, on pourrait dire qu'il se tient devant Dieu, mais ce Dieu cesse d'être un objet, un être impersonnel, pour devenir un "Toi", un "Tu".

Au simple plan humain, il faut te situer devant une présence autre ou d'un autre pour dialoguer. Il y a un danger à vouloir te mettre trop vite à la place de l'autre. C'est dire que, pour parler à un autre, il faut être toi-même. La présence à toi est condition de la présence à l'autre. Avant de t'engager dans un dialogue, il y a une mise en présence, un affrontement. Au sens étymologique du mot "alter", l'autre te transforme, il t'altère.

C'est là aussi la première condition pour entrer en relation avec Dieu. Qu'il s'agisse de Moïse, d'Elie ou d'Isaïe, tous ces hommes se tiennent toujours devant Dieu (Ex. 33,18-23 ; Is. 6). L'orant a la mission de se tenir devant Dieu, en sa présence. Sous-jacente à cette mise en présence de Dieu, il y a la conviction que Dieu connaît le coeur de l'homme : "Avant de te former au ventre maternel, je t'ai connu" (Jér. 1,5). Connaître Dieu ou être connu par lui, c'est entrer en relation avec lui, être introduit dans son intimité, expérimenter sa présence, pâtir son action, communier à sa vie : "Mais toi, Yahvé, tu me connais, tu me vois, tu éprouves mon coeur, il est avec toi".

Cela veut dire à la fois deux choses :

- Tu es à distance. Entre Dieu et toi, il y a un abîme, à cause de sa transcendance. Dans la Bible, tu ne trouves aucun panthéisme ni de près, ni de loin. Dieu est toujours autre, distinct de sa créature. Dans le panthéisme, il y a mélange, fusion, mais pas de dialogue vrai parce que les personnes ne sont pas autonomes,et libres.

- Tu es proche. Malgré l'extrême différence, tu as aussi la conviction qu'il n'y a pas de distance. Dieu est tout près de toi et il te voit.

C'est le respect de la transcendance et de l'immanence de Dieu.

Dieu est attentif à ta plainte, il écoute, il entend, il est proche, il accueille, il te donne audience : "En vérité, Yahvé, ne t'ai-je pas servi de mon mieux, tu le sais" (Jér. 15,11). "Car

Yahvé entend la voix de mes sanglots. Yahvé entend ma prière. Yahvé entendra ma supplication" (Ps. 6, 10).

Dieu n'est pas seulement un auditeur passif qui enregistre tes requêtes, il te répond et engage un dialogue avec toi : "Je suis là, je t'appelle, tu me réponds, ô Dieu" (Ps. 17,6). "Tu sondes mon coeur, tu me visites la nuit" (Ps. 17,3). En fait, Dieu tourne sa face vers toi et par là te sauve.

Dans la Bible, ceux qui ont eu le plus le sens de la proximité sont aussi ceux qui ont eu le plus le sens de la distance et de la transcendance de Dieu.

Souvent, c'est faute de commencer par cette mise en présence du Dieu Saint et proche que ta prière dégénère en monologue. Tu ne prends pas assez le temps de te recueillir pour arriver à l'oraison pacifié intérieurement. Avant d'entrer en prière, marche calmement, respire profondément, et remets tous tes soucis entre les mains du Seigneur. Soigne les débuts en t'établissant profondément en présence de Dieu. Passerais-tu dix minutes à prendre seulement conscience de cette présence, que tu n'aurais pas perdu ton temps. Ensuite, tu te débrouilleras avec le Saint Esprit qui fera le reste en amorçant ton dialogue avec le Père.

Rappelle-toi bien ceci : tu es devant, tu es tout près, tu es vu, tu es entendu, tu es aimé : "Je garde Yahvé devant moi sans relâche. Toi, Seigneur, tu es là !" (Ps. 16,8). Quand tu viens à l'oraison, ne te laisse pas porter par l'habitude, mais entre résolûment sous le regard de Dieu et accède à sa demeure : "Mon coeur se presse contre toi, ta droite me sert de soutien" (Ps. 63,9).

11. Tu es avec Dieu.

Dans cette attitude de celui qui est devant, qui est entendu et pris en considération, il y a le commencement d'une connivence. C'est le second aspect du dialogue et le second mouvement : la volonté d'être avec ce Dieu devant qui tu te tiens. Tu es avec lui, tu veux le servir. Ceci à tel point que la Bible de Jérusalem, en parlant d'Elie, a traduit d'une manière différente le verbe "tenir". Au lieu de dire : "... le Dieu vivant devant qui je me tiens", elle a traduit : "... le Dieu vivant que je sers". Prends toute la mesure et la force de ce petit mot "avec" qui ne signifie pas seulement une proximité ou un coudoiement mais une amitié au sens fort.

Etre avec Dieu, cela signifie trois choses :

- Tu es d'accord avec lui. "Qui n'est pas avec moi, est contre moi", dit le Christ. Cela pose la question de l'acceptation actuelle de la volonté de Dieu sur ta vie, ta manière de penser ou d'agir : "Es-tu heureux de la vie que Dieu te fait aujourd'hui ?". Attention de ne pas jouer double jeu en démentant par ta vie ce que tes lèvres proclament : "Tu n'es près que de leur bouche et loin de leurs reins. Mais toi, Yahvé, tu me connais, tu me vois, tu éprouves mon coeur. Il est avec toi" (Jér. 12,2). Conséquence pour toi : Je fais ta volonté, je veux faire ta volonté.

- Tu es uni à lui. C'est le langage de l'amour. Ton coeur d'homme a besoin d'être passionné par l'amour du Christ : "Avec toi, je suis sans désir sur la terre. Tout, ma chair et mon coeur sont consumés. Roc de mon coeur, ma part, Dieu à jamais" (Ps 73,25-26). Plus profondément, tu désires ne jamais être séparé de Jésus et tu aspires à être avec lui face à face pour toujours : "Je désire mourir pour être avec toi... nous serons avec lui pour toujours" (Saint Paul). Ta prière ne peut faire l'économie de cet amour goûté et éprouvé pour Dieu. C'est le bienfait d'une prière cordiale et affective. Seconde conséquence : Je t'aime, je veux t'aimer.

- Tu es au travail avec lui. Reprends ici le texte de Marc (3,14) et tu comprendras combien le Christ insiste pour que ses apôtres soient ses amis et ses compagnons : "Il en institua douze pour être avec lui (B.J. traduit : "pour être ses compagnons") et pour les envoyer prêcher la Bonne Nouvelle". Cette amitié pour Jésus n'est pas un vague sentiment qui naîtrait de ton pauvre coeur, c'est une amitié qui vient de Jésus lui-même. C'est l'amour même dont le Christ aime le Père et les hommes qu'il répand dans ton coeur. Il l'a déclaré lui-même quelques heures avant de mourir : "Vous êtes mes amis si vous faites ce que je vous commande. Je ne vous appelle plus serviteurs, car le serviteur ignore ce que fait son maître ; je vous appelle amis, car tout ce que j'ai appris de mon Père, je vous l'ai fait connaître" (Jn. 15,14-15).

Un apôtre, c'est l'homme de l'amitié avec Dieu, qui est tourné vers lui et le rencontre dans toutes ses présences. Relis le dialogue du Petit Prince et du renard et vois si tu sais passer du temps dans la prière pour te laisser apprivoiser par le Christ. C'est dans ce temps perdu gratuitement pour lui qu'il te fait partager les secrets du Père. Laisse-le te redire ces paroles : "Tu n'es plus un serviteur, tu es mon ami". Et tu sais bien que, pour Jésus, l'amitié n'est pas un vain mot. Il dit lui-même qu'il donnait sa vie pour ses amis. Ouvre tes mains toutes grandes pour accueillir cette amitié du Christ.

Il en ressort une troisième conséquence : tu travailles avec le Christ, tu veux travailler avec lui. A l'oraison, développe cette attitude du dialogue avec Dieu. Appelle-le par une union de volonté, d'amitié, et de travail.

"Pour moi, approcher Dieu est un bien" (Ps. 73,28). L'Esprit Saint te donnera cette conscience et cette volonté d'être uni à la personne de Jésus et à son oeuvre.

12. Tu es en Dieu.

Demeurer avec quelqu'un dans une union d'amitié, c'est le commencement d'une intimité. L'Ancien Testament nous avait bien dit que Dieu habitait au milieu de son peuple, il nous avait même laissé soupçonner la présence de l'Esprit dans le coeur de l'homme (Ez. 36), mais Jésus seul nous dira jusqu'où va cette amitié de Dieu pour l'homme. Dieu fait réellement de ton coeur sa demeure.

En Jésus, la vie de Dieu s'est, pour ainsi dire, "humanisée" dans un être de chair et de sang; c'est pourquoi il possède cette vie en plénitude et peut te la communiquer par la puissance de son Esprit. En adhérant au Christ par le Baptême et la foi, tu deviens la "demeure" de Dieu et tu participes aux relations d'amour qui circulent entre les Personnes de la Sainte Trinité. L'oraison, c'est la prise de conscience de cette vie divine en toi et la volonté de ne plus faire qu'un avec Dieu malgré l'extrême distance qui te sépare de lui.

En priant, tu exerces consciemment cette relation filiale. Tu es fils et tu en as l'assurance car l'Esprit intercède en toi. Ainsi dans l'acte par lequel tu dis à Dieu : "Père !", tu te saisis comme fils de Dieu (cf. fiche VIII : "Presse dans ton coeur chaque invocation du Notre Père"). Quelqu'un qui est l'Esprit même de Dieu te garantit, t'atteste, te convainc que tu es fils de Dieu. Tu fais ainsi l'expérience obscure mais indubitable de cette prodigieuse relation filiale avec le Père : "La preuve que vous êtes des fils, c'est que Dieu a envoyé dans vos coeurs l'Esprit de son Fils qui crie : Abba, Père !" (Gal. 4,6). Dans la prière, cette expérience obscure deviendra de plus en plus claire à ta conscience d'homme.

Tu es bien au coeur de cette intimité avec Dieu que constitue l'expérience du croyant telle que Paul l'a décrite dans le chapitre 8 des Romains. Tu pourrais te demander si une telle expérience n'abolit pas la distance qui te sépare du Dieu Saint. Non, Paul a eu soin, au verset 15, d'employer l'expression bien connue du droit romain : "adoption filiale". Tu es fils par adoption, ce qui suffit à marquer à jamais ta distinction d'avec le Christ, le Fils au sens propre, par nature. Mais cette filiation adoptive n'en est pas moins réelle. Tu es enfant de Dieu et l'Esprit Saint t'en donne la certitude. Tu es dans le Christ, tu es en Dieu, tu es dans la Trinitié.

A l'oraison, crois en cette présence permanente de la Sainte Trinité en toi, même si tu n'en éprouves aucune résonance sensible. Dieu demeure en toi et il t'appelle à demeurer en lui. Tu ne prieras jamais bien si tu ne sais pas demeurer longtemps en face du mystère de la Sainte Trinité. Il faut te laisser prendre dans ce mouvement d'amour qui emporte Jésus dans le sein du Père. C'est pourquoi le Christ te demande avec insistance de demeurer en lui : "Qu'ils soient un, come Toi, Père, tu es en moi et moi en toi, qu'eux aussi soient un en nous" (Jn. 17,21).

Pénètre en Dieu, dans la famille trinitaire par le Verbe incarné. En accédant auprès de Dieu, tu développes ta foi par cette incessante communion à la vie divine. Nourris-toi de l'Eucharistie pour entrer dans la communion de la Trinité: "Celui qui mange ma chair et boit mon sang demeure en moi et moi en lui". En communiant à Jésus, tu vis de la vie même du Père et de l'Esprit. Tu es là vraiment au ressort dernier de l'oraison, à l'attitude ultime du dialogue avec Dieu.

L'oraison, c'est la communion engagée d'une présence, d'une connivence et d'une intimité avec le Dieu de Jésus-Christ dans le dynamisme de son Esprit.

Faire oraison, c'est te trouver devant Dieu, être uni à lui, demeurer en lui avec tout ton être : corps, intelligence, volonté et coeur, soit virtuellement dans ta vie, tes relations ou ton travail, soit actuellement, dans les temps consacrés plus spécialement à la prière. L'un ne va jamais sans l'autre.

13. Dieu se révèle à toi comme le Saint, l'Ami et l'Hôte.

Si tu peux te tenir ainsi devant Dieu, avec lui et en lui, c'est parce qu'il a bien voulu se montrer à toi comme le Saint, l'Ami et l'Hôte. A ton attitude correspondent trois noms de la révélation objective de Dieu, trois "Tout" de ce Dieu de la Bible. Voici simplement quelques pistes qui orienteront ta contemplation du mystère.

Dieu est le séparé, le Tout-Autre, il se montre Saint. Il est le Tout-Autre par son infinie puissance mystérieuse. Devant lui, tu es poussière et cendre (Gen. 18,27), car tout est néant, sauf lui (Is. 40, 25 et 45,5). Quand il se manifeste à toi, il se révèle dans la transcendance de son être, c'est à dire dans sa Gloire, qui est l'intensité rayonnante de sa présence et de sa vie (Ex.3, 6 ; Is. 6,1-5 ; Ez. 1,28). Tu ne peux que tomber la face contre terre pour l'adorer. Il est aussi le Tout-Autre par son infinie pureté morale qui te fait expérimenter ton impureté foncière (Is. 6,5). Si les orants de la Bible ont la conviction d'être devant Dieu, témoins de sa Gloire, c'est parce qu'ils ont eu la révélation de sa sainteté. C'est la première indication objective du dialogue avec Dieu. Adorer Dieu, c'est avoir le sentiment de sa grandeur et inséparablement le sentiment de ta propre misère.

Mais le vrai Dieu ne révèle jamais sa grandeur inaccessible sans révéler en même temps son Amour, c'est pourquoi il est l'ami des hommes. Dieu est Celui qui aime (Osée 11,15), c'est aussi Celui qui t'aime : "Vous êtes mes amis" dira Jésus. C'est une confidence faite de bouche à bouche, une révélation. Sur le visage de chair du Christ, tu découvres l'amitié (Tt. 3,4), et la tendresse de Dieu pour toi. Et la preuve qu'il est ton ami, c'est qu'il partage avec toi les secrets du Père, comme on le fait entre amis.

Aujourd'hui encore, comme au temps des prophètes, Dieu te redit : "Je suis avec toi". Le Christ ressuscité ne cesse d'être avec les siens jusqu'à la fin des temps. Il te connaît par ton nom car il t'a aimé et s'est livré pour toi. La révélation de l'intimité du Dieu trois fois Saint en Jésus-Christ est la seconde indication objective du dialogue. Entre Dieu et toi, il y a une relation de type ami. Entre le Saint et toi, Jésus est ton ami. Si tu peux être avec lui, c'est parce qu'il a voulu être avec toi. Emmanuel = Dieu avec nous. Demande à saint Jean, "le disciple que Jésus aimait" (Jn. 13,23), de te faire expérimenter l'amitié du Christ.

Il t'apprendra surtout à demeurer en Dieu en communiant incessamment à la personne de Jésus. En Jésus, demeure permanente de Dieu au coeur du monde, Dieu a planté sa tente au milieu de nous. Par le don de son Esprit, Jésus est celui qui te fait demeurer en Dieu. Si tu te nourris de son corps, si tu vis comme lui et garde sa Parole, la Sainte Trinité plante sa demeure en toi. Dieu devient ton hôte, comme il fut celui d'Abraham au chêne de Mambré : "Si quelqu'un m'aime, il gardera ma parole, et mon Père l'aimera, et nous viendrons en lui, et nous ferons chez lui notre demeure" (Jn. 14,23).

Le fond du mystère du dialogue de l'oraison, c'est la présence de Dieu en toi. Si tu peux être en Dieu, c'est parce qu'il a bien voulu être en toi. La relation d'inhabitation des Personnes divines en toi est la troisième indication objective du dialogue avec Dieu. Il n'y a pas de plus belle définition de l'intimité qui s'établit entre Dieu et toi dans l'oraison que celle de l'Apocalypse : "Voici que je me tiens à la porte et je frappe ; si quelqu'un entend ma voix et ouvre la porte, j'entrerai chez lui pour souper, moi près de lui, et lui près de moi" (Ap. 3,20). Le Père de Beaurecueil nous rapporte les propos de ce jeune Afghanistanais de seize ans qui lui disait un jour : "Tu viendras manger chez moi, puis je viendrai manger chez toi, ensuite nous serons amis !".

14. Ce n'est pas toi qui supplie Dieu de venir à toi, mais c'est lui qui te supplie de bien vouloir ouvrir ton coeur et tes mains pour accueillir son Fils Jésus.

Tu as une mentalité de grimpeur et tu pars chaque jour à l'assaut de Dieu pour le conquérir à la force de tes poignets. Ou alors tu supplies Dieu de venir chez toi en lui rappelant poliment ce qu'il semble avoir oublié. Une telle prière et une telle attitude n'ont plus de sens ni de raison d'être pour un chrétien et tu n'as plus à essayer de séduire Dieu par tes offrandes ou tes prières.

Il y a bien longtemps que Dieu est venu vers toi et t'a séduit. Il t'a aimé le premier au point de te donner son Fils Jésus-Christ pour te sauver. Tu ne dois donc plus le chercher puisqu'il a définitivement comblé le fossé qui te séparait de lui. Dieu n'est plus à convaincre, il y a longtemps qu'il est venu au beau milieu des siens, mais le drame, c'est que tu ne l'as pas reçu : "Il est venu chez lui et les siens ne l'ont pas reçu" (Jn. 1,11). Prier, c'est tout simplement te laisser chercher et trouver par Dieu.

Au fond, toute la pédagogie de Dieu est de te rappeler cette présence et cette venue du Fils dans le monde. Celui-ci n'est pas un désert où Dieu est absent, mais il recèle une présence cachée du Christ. Songe un peu au Carême qui te semble une période ennuyeuse et triste parce que tu mets l'accent sur tes efforts de pénitence, alors que c'est avant tout un temps de grâce et de salut. Tout au long de cette période, Dieu t'offre la présence de son Fils mort et ressuscité. Tu n'as pas à réaliser des prouesses pour l'atteindre car il est là à ta portée, et il t'est offert gracieusement dans le pain de la Parole et de l'Eucharistie.

Ce qui t'est demandé alors, c'est une contemplation prolongée de l'amour de Dieu qui ne cesse de sortir de lui-même pour venir à toi. Sainte Thérèse de Lisieux parlait à ce sujet de la foi en l'Amour de Dieu : "Combien plus votre amour miséricordieux désire-t-il embraser les âmes puisque votre miséricorde s'élève jusqu'aux cieux ... O mon Jésus ! que ce soit moi cette heureuse victime, consumez votre holocauste par le feu de votre divin amour" (Manuscrits autobiographiques).

Ce n'est pas au terme de tes efforts que tu découvriras cet amour, mais dans une prière silencieuse et intense, Dieu déchirera le voile et te révèlera les trésors d'amour contenus dans le coeur de son Fils. Cette prise de conscience de l'amour de Dieu est une grâce mystérieuse, impossible à traduire en mots et en concepts humains, mais s'il t'est un jour donné d'en faire l'expérience, tu comprendras pourquoi saint Dominique et saint François pleuraient des nuits entières en disant :"L'amour n'est pas aimé !".

Si tu as la grâce de faire cette découverte, tu comprendras la dureté et l'imperméabilité de ton coeur. Ton grand péché est de persécuter ou plutôt de refuser plus ou moins consciemment de te laisser aimer ainsi par Dieu. Le Christ ne cesse de frapper à la porte de ton coeur pour que tu lui ouvres et partages avec lui le repas de l'amitié.

Que l'Esprit Saint brise ton coeur de pierre ; par cette brèche, il fraiera un passage à l'invasion de l'amour.

Dans la prière, tu ne demandes pas à Dieu de changer d'avis et de venir enfin jusqu'à toi pour t'aimer mais au contraire tu creuses profond ton coeur de marbre pour changer d'attitude et finalement accepter l'amour de Dieu.

Le carême est le temps privilégié de cette venue de Dieu dans ta vie. Plonge-toi dans le silence intérieur pour mieux écouter la voix de Dieu. En Jésus, il se rend présent et t'appelle à partager l'intimité trinitaire. N'imite pas les Pharisiens aveugles qui ne reconnaissent pas en Jésus cette venue du Père.

Te convertir, c'est enfin consentir à ouvrir ton coeur à cet amour infini de Dieu et c'est ouvrir largement tes mains pour recevoir le pain de l'Eucharistie. Alors tu verras quels sont les signes concrets de pénitence qui te disposeront davantage à cet accueil du Christ. Mais l'essentiel est d'être tout au long de tes journées et de tes nuits en état de veille et d'écoute pour ne pas manquer ce rendez-vous d'amour.

15. «Le propre de la bonté de Dieu est de faire, mais le propre de la nature humaine est d'être faite«.

(S.Irénée: Adversus Haereses, P.L t.VII,IV, 38,4).

Je traduirai d'une autre façon cette parole d'Irénée en disant : "Il faut te laisser aimer, te laisser faire par Dieu". Toutes tes difficultés humaines et spirituelles viennent du fait que tu veux te construire et te réaliser par toi-même. Tu penses trop que la sainteté est une tour à bâtir à la force de tes poignets et il en va de même pour la prière, la vie fraternelle et l'unification de ta vie ; ce n'est pas toi qui pries, mais l'Esprit en toi, et une authentique communauté n'est pas une construction humaine mais l'oeuvre de l'amour trinitaire.

La vraie prière et le reste sont des dons qui viennent d'en-haut. Tu dois les recevoir, les accueillir et leur offrir un terrain capable de les faire grandir et s'épanouir. Le dynamisme de la croissance est contenu en germe dans la petite graine de vie divine déposée en toi au baptême. C'est tout le sens de la parabole du grain de sénevé et du levain dans la pâte. Relis souvent, en Marc 4,26 à 29, la parabole du grain qui pousse tout seul : "Tandis qu'il dort ou qu'il se lève, la nuit comme le jour, la semence germe et croît, sans qu'il s'en aperçoive". Le paysan sait bien que le délai qui sépare les semailles de la moisson est un facteur de croissance et un compagnon de travail. Il en va de même pour la maman : elle donne la vie à son enfant, mais ensuite elle aura à respecter les étapes de sa croissance et de sa maturité d'homme.

Débarrasse-toi de tes empressements : l'épanouissement de ta vie n'est pas chez toi une propriété de nature ou une conquête orgueilleuse de la volonté mais un don de la grâce. Toutes tes misères viennent du heurt entre tes vues personnelles, courtes et limitées, et la volonté de Dieu, large et spacieuse. Tu veux te réaliser selon un plan que tu as conçu dans ton petit atelier de perfectionnement, et Dieu a pour toi un dessein d'amour bien meilleur. Abandonne tes prétentions à vouloir te construire et laisse faire Dieu, même si tu ne comprends pas son plan. Il ne te viendrait jamais à l'idée de juger une pièce de théâtre au bout du premier acte. A la fin de ta vie, tu seras émerveillé du projet d'amour de Dieu pour toi.

D'abord sois assuré que Dieu t'aime puisqu'il te fait partager sa propre vie qui doit croître tout au long de ton histoire personnelle. Tu as donc à compter avec le temps : ne veuille pas être aujourd'hui ce que tu seras demain avec le temps et la grâce de Dieu. Il édifie progressivement en toi l'homme intérieur, il corrode et détruit les montagnes de péché. Ne lui impose pas tes vues, tes plans et tes volontés, les siennes sont bien meilleures.

Il n'attend de toi qu'une chose : te laisser faire, mais attention ! : se laisser faire par Dieu ne veut pas dire se laisser vivre et le temps ne peut porter du fruit en toi que si tu es décidé à aimer Dieu totalement avec une volonté bonne. Faute de cet abandon actif à Dieu, ton être spirituel se désagrègerait en une multitude de caprices. Dieu n'agit pas à coups de baguette magique qui te dispenseraient d'une fidélité toujours plus onéreuse.

Mais dès que tu t'es livré à Dieu sans réserve et sans condition, le laissant agir comme bon lui semble, et ne préférant rien à sa volonté, tu découvres la joie et la paix. Tout événement extérieur est un présent de la main de Dieu et il façonne un peu plus ton être intérieur selon le bon vouloir du Père. "Quand tu as fait de ton mieux, dit Teilhard de Chardin,...'tout ce qui arrive est adorable'; c'est là le dernier mot de la sagesse humaine et de la sainteté" (A Mme Henry Cosme, Péking, 9 mai 1944). Quand tu es livré à Dieu, tout événement heureux ou malheureux te transforme du dedans et te rapproche de Dieu.

Ton péché lui-même et tes faiblesses, pourvu qu'ils soient reconnus, regrettés et pardonnés, te poussent un peu plus en avant. Tes gestes et tes efforts quotidiens dans la répétition monotone sont intégrés au courant de vie intérieure qui circule en toi. Un peu à la fois grandit cette perfection intérieure dont Dieu est l'unique auteur et qu'il opère en toi dans la mesure où tu te laisses façonner à son image. Pour découvrir ce long travail de Dieu, tu as besoin du regard de la foi et donc d'une prière intense et prolongée.

La voie du salut

II

16. L'amour de Dieu pour toi prend corps en Jésus-Christ.

Dieu ne s'est pas contenté de dire qu'il t'aimait ; un jour du temps, il est devenu homme : un être comme toi, de chair, de conscience et de sang. Il ne t'est pas besoin d'avoir fait des études supérieures pour comprendre ce qu'est un homme. Il suffit de te sentir vivre, aimer et pleurer. Un homme naît, vit et passe sur terre, et c'est Dieu : Jésus de Nazareth, fils de Marie, Fils de Dieu. Si tu as quelque expérience du Dieu trois fois Saint, tu ne peux qu'être émerveillé, stupéfait, ébahi devant ce mystère de Jésus.

C'est un être entièrement Dieu, sans aucune réserve et sans aucune nuance.C'est un être entièrement homme, sans aucune réserve et sans aucun bémol à son humanité : "Ce n'est pas seulement un homme qui naît à Bethléem, qui travaille à Nazareth, parle aux foules en Palestine, qui crie de peur à Gethsémani, qui meurt à Jérusalem : c'est Dieu qui naît, travaille, parle, crie et meurt"(1) Jésus réalise la liaison de Dieu à l'homme et de l'homme à Dieu. Et pour cela, il lui suffit d'être, il n'a rien d'autre à faire. C'est vraiment l'amour de Dieu pour toi qui prend corps en Jésus-Christ. Reçois dans ton coeur le Verbe incarné et scrute inlassablement le mystère de sa personne. Demande lui souvent de te plonger au coeur de Dieu et au coeur de l'homme. Lorsque tu touches Jésus-Christ par la foi, tu découvres la véritable dimension

---

(1) J.P.Deconchy, Religion et foi. Promesses n°23 p.32.

de ton être d'homme devenu la maison de Dieu.

Depuis que le Christ a planté sa tente au beau milieu de nous, il y a quelque chose de radicalement changé au coeur du monde. L'humanité est entrée en Dieu et Dieu a pénétré dans toute la réalité terrestre jusqu'au coeur du cosmos. En Jésus-Christ, la présence de Dieu irradie le centre du monde, mais surtout le coeur de l'homme. On ne peut plus parler de Dieu sans parler de l'homme, ni parler de l'homme sans nommer Dieu. C'est pourquoi "aucun homme ne naît sans le Christ", dira saint Jérôme

Tu ne trouveras ton plein épanouissement d'homme qu'en t'insérant chaque jour plus profondément dans le mystère de l'homme parfait qu'est le Christ, et par lui dans le mystère trinitaire. En Jésus, tu ne rencontres pas seulement le Père, mais tu communies aussi à tous tes frères dans leurs aspirations vers Dieu.

Trop souvent, tu opposes prière et vie, service de Dieu et service de tes frères, contemplation et action. Le jour où tu auras pris toutes les dimensions du mystère du Christ, il n'y aura plus d'opposition. Depuis que Dieu a rencontré l'homme en Jésus-Christ, il n'y a plus de profane (étymologiquement : pro-fanum = devant le temple, en dehors du temple), puisque Dieu est justement sorti du Temple, de sa "demeure céleste", pour vivre au coeur de sa création. Il est là présent et vivant dans cette pâte du quotidien que tu pétris avec plus ou moins de succès. En vivant à plein ta tâche quotidienne et ta relation aux autres, tu rejoins sans cesse le Christ et par lui, le Père. C'est maintenant, dans ta vie de tous les jours, dans ton travail quotidien, dans l'amour de ton frère, que tu dois rencontrer Jésus.

A l'oraison, fléchis les genoux en présence du Père et par une supplication instante, demande-lui de comprendre que "le Christ habite en ton coeur par la foi" (Eph. 3,17). Crois en sa présence en toi, dit la Règle de Taizé, même si tu n'en éprouves aucune résonance sensible. Utilise tous les registres de ta personne pour lancer cette prière au Père car tu dois être habité par l'Esprit de Jésus. Puis, un peu à la fois, l'Esprit Saint te donnera lumière et force pour comprendre "ce qu'est la Largeur, la Longueur, la Hauteur et la Profondeur, tu connaîtras l'amour du Christ qui surpasse toute connaissance" (Eph. 3,18-19).

Il faut que cette conscience de la présence du Christ soit enracinée profond en toi. C'est le seul objet et le seul but de ta prière. Si tu passais tout le temps de ton oraison à demander cette grâce, tu adopterais les vues de Dieu sur toi. Sache que ce que tu demandes ainsi avec insistance correspond au désir du Père. Il attend que tu aies les mains ouvertes et suppliantes pour y déposer son Fils.

17. Tu peux bien connaître tes fautes, Tu n'as pas pour autant le sens du péché. Celui-ci est l'oeuvre d'une révélation de Dieu. Avant de songer à t'examiner, songe surtout à prier.

Tu comprends mieux maintenant que la vraie connaissance de Dieu est l'oeuvre d'une révélation. Elle ne s'obtient pas au terme d'un cheminement intellectuel mais dans l'humble prostration de ton être en face du Dieu Saint. Comme dit K.Rahner,"si ta théologie cesse d'être une théologie à genoux, en ce sens qu'elle doit être la théologie d'un homme qui prie, pour s'égarer dans les sentiers de l'intellectualisme, elle se dégradera en dilettantisme de bourgeois attardés"(1)

Il en va de même pour la connaissance du péché. Tu peux bien prendre conscience des fautes que tu as commises, c'est à dire des manquements à une règle ou à un ordre établi, tu n'en as pas pour autant le sens du péché. Cette découverte de tes fautes engendre en toi la mauvaise conscience ou le sentiment de culpabilité mais pas le vrai repentir.

Pour avoir le vrai sens du péché, il faut te découvrir en relation avec Dieu. Alors que la prière est une présence à Dieu, le péché apparaît comme une absence, un refus de te recevoir de Dieu, un obstacle à son amour. Tu ne peux donc avoir la connaissance de ton péché que si Dieu te le révèle, de même que la vraie connaissance de Dieu est l'oeuvre de sa grâce.

Tu vois ainsi se dessiner une première loi spirituelle : quand tu veux découvrir ton péché, il importe moins de t'examiner que de prier intensément : "Seigneur, que je te connaisse et que je me connaisse"(2). Ce que tu demandes alors au Seigneur, ce n'est pas seulement de faire un compte exact de tes fautes comme tu ferais le relevé de tes transgressions au code de la route - ceci est

---

(1) K.RAHNER, Serviteurs du Christ, Mame 1969, p. 126.

(2) ST AUGUSTIN, Les Confessions.

l'oeuvre de ta raison - mais tu lui demandes la connaissance surnaturelle d'une réalité cachée. Tu sais bien que confesser ton péché, ce n'est pas le dire à un prêtre pour qu'il le sache, mais que c'est t'avouer à Dieu qui le premier s'est avoué à toi en te déclarant son amour.

Tu demandes à Dieu de te faire éprouver avec tout ton être combien tu es loin de lui. En soi, le péché n'est pas une réalité objective, ce n'est pas un manquement à une loi qui entraînerait, à titre de conséquence, la privation de la grâce; c'est l'homme devant Dieu en attitude de rupture, de refus ou de distension. Le pécheur est celui qui tourne le dos à Dieu et qui refuse de recevoir son être de lui. Par le fait même, il n'est plus présent à lui-même, c'est pourquoi le péché est aussi une désintégration de la nature humaine. Comme l'enfant prodigue, le pécheur s'éloigne du Père et s'en va dans un pays lointain pour jouir égoïstement des dons reçus sans les relier au donateur. Au lieu d'utiliser ses biens pour entrer en communion, il les fait servir à son profit. Le pécheur est donc un égaré, loin de Dieu, en exil. Il est hors de la vérité car pour lui être vrai, c'est être en communion avec le Père.

Et le drame du pécheur, c'est qu'il n'en souffre pas et qu'il n'en a même pas conscience; au contraire, il a l'impression d'un certain bonheur. C'est le jour où ses yeux s'ouvrent à l'amour du Père que le fils prodigue découvre la profondeur de sa misère, car le péché ne l'a pas seulement séparé du Père, il l'a aussi retranché de lui-même et de la communauté de ses frères. Le péché réalise en toi et dans la famille humaine une brisure qui engendre la souffrance et la mort. Comme dit Gabriel Marcel, "nous sommes dans un monde cassé".

Au fond, en te présentant devant Dieu, tu ressembles à un aveugle. Comme le psalmiste, tu reconnais humblement que tu t'es éloigné de lui, en brisant une relation d'amour : "Contre toi, toi seul, j'ai péché ; ce qui est mal à tes yeux, je l'ai fait" (Ps.51,6). Plus profondément encore, tu n'avoues pas seulement des actes mais un état de pécheur : "Vois, mauvais je suis né, pécheur ma mère m'a conçu" (Ps.51,7). Mais tu ne connais pas ton vrai péché qui n'est pas forcément le péché de faiblesse que tu dénonces et que tu pleures, mais le péché profond que tu aimes et appelles d'un nom rassurant : "Purifie-moi, Seigneur, du mal caché". (Ps 19,13).

Dans la lumière de son amour, Dieu désillera tes yeux aveuglés et t'infligera la révélation douloureuse de ton péché. C'est un déchirement bien plus douloureux et plus profond que tous les scrupules et sentiments de culpabilité. Prie aussi longtemps qu'il te faudra pour recevoir cette révélation, tu la reconnaîtras à la paix austère qu'elle engendre en toi. Le sentiment de ton péché est toujours douloureux, mais il s'accompagne de confiance en l'amour miséricordieux de Dieu qui pardonne. Puisses-tu recevoir cette connaissance intime de ton péché qui faisait pleurer les plus grands saints.

18. Dans le regard d'amour du Christ qui vient vers toi, tu reçois à la fois la révélation de son coeur et celle de ton péché.

Dans cette prière intense, tu n'es pas abandonné à toi-même, c'est pourquoi il est bon de te mettre devant la révélation du péché dans la

Bible. Relis doucement la prière des exilés (Baruch 1,15 à 3,8), les psaumes 25 et 51, le récit de la chute (Gen. 3), Romains, 1 à 7, Jérémie, 2 à 11, Isaïe, 1 à 12, Osée, 1 à 3 : un peu à la fois. Tu te situeras dans une histoire du péché, et tu comprendras que celui-ci vient de plus haut et de plus loin que toi et surtout que Satan en est l'auteur. A la suite d'Adam, l'humanité s'est enlisée dans ce péché, c'est pourquoi tu fais l'expérience de ta misère profonde.

Mais en même temps, tu découvres une réalité bien plus exaltante. Dieu ne révèle jamais le péché de l'homme pour lui faire sentir sa misère et sa faiblesse, mais il lui montre aussitôt le Sauveur. Tu perçois ton péché dans l'acte même où tu en reçois le pardon. Relis Romains, 5,12 à 20, et tu verras qu'on ne parle jamais d'Adam sans parler en même temps du Christ Sauveur : "... mais il n'en va pas du don comme de la faute. Si, par la faute d'un seul, la multitude est morte, combien plus la grâce du Dieu et le don conféré par la grâce d'un seul homme, Jésus-Christ, se sont-ils répandus en profusion sur la multitude !" (Rm. 5,15).

Lorsque tu reçois le pardon de ton péché, tu en découvres en même temps la malice et le venin. N'est-ce pas au moment où ton ami te pardonne tes attitudes odieuses que tu perçois en même temps son amour et ton ingratitude ? Ne te tends pas, ne brusque pas les choses, cesse de regarder la résonance du péché en toi mais plonge ton regard dans les yeux de Dieu et tu comprendras combien tu es aimé de lui dans ta misère.

Saint Jean Chrysostome dit à ce propos : "Dieu ne te révèle ton mal que lorsque déjà tu as ton rédempteur, et que par lui il t'en a guéri".

Attends patiemment cette révélation de toi-même que Dieu veut t'accorder aujourd'hui; tu ne peux pas tout porter pour l'instant : "Si tu connaissais tes péchés, tu perdrais coeur. A mesure que tu les expieras, tu les connaîtras et il te sera dit : 'Vois les péchés qui te sont remis... Ne crains point, c'est mon affaire que ta conversion. Je t'aime plus ardemment que tu n'as aimé tes souillures" (1). C'est pourquoi tu dois accuser ce péché car c'est lui que Dieu veut te pardonner, les autres péchés n'en sont que la conséquence.

Il y a dans l'Evangile, une illustration vivante de cette seconde loi spirituelle à propos du péché. C'est au moment où Pierre rencontre Jésus durant sa Passion. Pierre croit connaître et aimer Jésus mais il n'a pas conscience de son triple reniement et il en demeure toujours au niveau de la faute : "Le Seigneur, se retournant, fixa son regard sur Pierre. Pierre se souvint alors de la parole du Seigneur, qui lui avait dit : 'Avant que le coq chante aujourd'hui, tu m'auras renié trois fois'. Et sortant dehors, il pleura amèrement" (Lc. 22,61-62).

Dans ce regard, Pierre reçoit à la fois la révélation de l'amour du Christ pour lui et celle de son péché. Il découvre alors son vrai péché qui est de refuser un certain visage de Jésus (la face outragée du Serviteur souffrant), voilà le péché que Dieu veut lui voir pleurer. Il en a bien d'autres qui sont la conséquence de ce péché fondamental, mais pour l'instant, c'est ce péché-là que Dieu veut lui pardonner. Pierre ne peut comprendre son péché tant qu'il n'a pas entrevu le visage d'amour infini qu'il persécute.

(1) PASCAL, Le Mystère de Jésus.

C'est pourquoi la découverte de ton péché ne résulte pas d'une introspection mais de la contemplation du Christ en croix. Dans le visage meurtri de Jésus, tu perçois l'amour infini de Dieu pour le pécheur que tu es. Tu mesures aussi le besoin que tu as du Christ et de son pardon.
Il t'est impossible de découvrir ce visage sans découvrir en même temps que tu le repousses au fond de ton coeur. C'est là ton vrai péché. La découverte de ton péché a beaucoup moins d'importance que celle du Christ. Tu es proche alors de la béatitude des larmes.

19. Tu ne crois pas à l'action de Satan, ce n'est pas étonnant, tu es tellement loin de Dieu. Plus tu t'en approcheras, plus tu découvriras le mystère d'iniquité.

Qui ose encore aujourd'hui parler de Satan sans faire figure de dépassé ou de demeuré ? Et cependant comment comprendre sans lui les abîmes où tu as vu s'enfoncer, il n'y a pas longtemps encore, des secteurs de la vieille Europe. Il ne faut pas remonter si loin pour découvrir aujourd'hui cette réalité de l'oppression, de la torture ou de la cruauté que certains hommes pratiquent au nom même de l'ordre établi. On pourrait encore écrire aujourd'hui ce qu'un prêtre évadé des camps de concentration d'Hitler écrivait, il y a moins de trente ans : "Je reviens de l'enfer".

Et il n'y a pas seulement cette violence physique, il y a aussi toutes les conséquences de la société de consommation. Comment expliquer la bassesse de certains livres et de certains spectacles, sans cette volonté précise d'avilissement ?

Un éminent critique de films, Henri Agel, a récemment parlé d'un "univers de dissolution". Et l'on pourrait ainsi allonger la liste en se demandant quelles techniques raffinées ou quelle publicité l'homme va encore inventer pour plonger le monde dans les ténèbres.

A certains jours, nous aurions bien besoin de relire Bernanos qui faisait dire à l'un des prêtres du "Soleil de Satan" : "Mon enfant, le mal comme le bien est aimé pour lui-même, et pour lui-même servi". Oui, il y a dans le monde un mystère d'iniquité et Jésus lui-même t'a révélé son auteur: "inventor mali : l'inventeur du mal", Satan. On a tellement parlé de lui dans une imagerie simpliste qu'on ne croit plus à sa réalité.

Et cependant, il est là tapi dans l'ombre. Sa suprême astuce, son mensonge suprême - car il est le "père du mensonge" (Jn 8,44) - est de te persuader qu'il n'existe pas. Il est l'adversaire à l'affût de tes convoitises, le malin reprenant sans se lasser la même chanson trompeuse et menteuse qu'il a fredonnée aux premiers hommes.

Comme chez les personnages de Bernanos, la présence de Satan ne peut être dévoilée chez un être que si celui-ci est mis en présence du mystère de la grâce. Dans l'Evangile, les possédés ne peuvent supporter la présence du Fils de Dieu ; il y a une incompatibilité radicale entre Jésus et Satan. Il en va de même lorsqu'on rencontre un être entièrement environné par la vérité, l'amour et la pureté : il ne peut supporter sa présence, et s'il le pouvait, il le tuerait pour éviter cet affrontement.

Sache bien ceci : plus tu seras envahi par la présence du Dieu trois fois Saint, et plus tu éprouveras cette présence du péché et du mal en toi et dans le monde. Il ne s'agit pas, bien sûr, de phénomènes extraordinaires mais d'une perception accrue du mystère d'iniquité. Là où passe un véritable homme de Dieu, il suscite en même temps que la grâce un déchaînement des forces du mal.

La présence du Christ débusque la présence de Satan car ils sont totalement opposés et tu comprendras pourquoi Jésus appelle Satan le menteur et le père du mensonge. Jésus ne vit pas pour lui-même, il vit pour le Père et accomplit sa volonté (Jn 8,42). Son centre de gravité est le Père, c'est pourquoi il est la Vérité car il vit en accord avec le Père.

A l'inverse, le diable et les fils des ténèbres ne veulent pas reconnaître leur relation à Dieu. Ils se ferment sur eux-mêmes, et sur les dons reçus, pour se faire à eux-mêmes leur propre centre. C'est pourquoi il n'y a pas de vérité en eux parce qu'il n'y a pas de référence et de relation au Père. Pratiquement Satan nie Dieu et les autres et s'il le pouvait il les tuerait ; c'est pourquoi Jésus l'accuse de meurtre : "Dès l'origine, ce fut un homicide ; il n'était pas établi dans la vérité parce qu'il n'y a pas de vérité en lui : quand il dit ses mensonges, il les tire de son propre fond parce qu'il est meurtrier et père du mensonge"(Jn 8 44).

Tu comprends maintenant pourquoi Satan livre un combat sans merci au Christ et aux fils de lumière. Jésus est totalement "eucharistie", car il est livré au Père. Satan est "absence d'eucharistie" parce qu'il est fermé sur lui-même.Tu découvres ainsi ce qui est la marque de la présence de Satan dans le monde, c'est à dire ce qui caractérise le péché : ce n'est ni la faiblesse, ni l'ignorance, mais l'attitude par laquelle on se ferme à Dieu pour se réaliser par soi-même. Clouzot écrivait avant sa conversion : "Je crois que le vrai péché que j'ai commis, quand j'avais quinze ou seize ans, c'est de vouloir être moi-même par moi-même". Satan peut même se déguiser en ange de lumière et te présenter un bien qu'il trouve en toi comme fin unique de ton existence. C'est ainsi qu'il a agi avec Jésus dans la tentation au désert. Au contraire, la prière t'ouvre de plus en plus à l'amour et t'oppose ainsi au mystère d'iniquité.

20. «Mon sacrifice, c'est un esprit brisé ; d'un coeur brisé, broyé, ô mon Dieu, tu n'as point de mépris» (Ps.51, 19).

Tu te convertis vraiment le jour où tu expérimentes comme Pierre les larmes de la contrition, où ton coeur est littéralement broyé, c'est à dire réduit en morceaux par la révélation de l'amour de Dieu. Tu peux être tourmenté par le désir de suivre le Christ de plus près ou par celui de sortir de ton péché qui t'opprime, mais tu n'en as pas pour autant le sentiment de ton péché. Tout cela peut alimenter ton repentir mais la contrition est vraiment autre chose : c'est le fruit d'un don merveilleux que Dieu t'offre en te purifiant par le sang du Christ dans le sacrement de pénitence.

Alors tu dois avoir le coeur broyé, brisé, comme David après son péché, ce qui est bien autre chose que l'évidence de ton péché, ou le désir d'aimer le Christ, autant de sentiments qui naissent de ton propre fond . La contrition, "c'est la révélation déchirante (normalement offerte à travers le spectacle du Christ en croix) de l'Amour infini que Dieu a pour nous et de la cruauté sans nom de notre indifférence à son égard" (M.D.Molinié o.p.).

Tu ne peux pas te procurer à toi-même cette béatitude des larmes, ce serait alors un sentiment forcé et factice. Pour être vrai, tu supplies le Seigneur de "tirer de ton coeur de pierre les larmes de la contrition". Tu peux refaire toute ta vie cette prière qui gardera toujours sa vérité. La vraie componction est l'oeuvre de la grâce et donc de la prière, elle naît de la découverte de Quelqu'un : Dieu présent et appelant. Une telle rencontre bouleversera ta vie et donnera un sens nouveau à ton existence. La lucidité chrétienne est le fruit de la connaissance du Dieu vivant. L'impénitent est un aveuglé : n'ayant connu ni le Père ni son Fils, il ne reconnait pas son péché. Le pénitent est un voyant : il a reconnu la venue et l'appel de Dieu en Jésus-Christ, ses yeux se sont déssillés.

Plus tu connaîtras Dieu et plus tu te reconnaîtras pécheur, mais un pécheur pardonné. C'est le prodigue pénitent et non le fils aîné qui connaît véritablement le Père. Tu découvres ainsi le lien entre ton baptême et la pénitence qui, selon le mot d'Augustin, est un baptême quotidien, c'est à dire le signe par lequel tu exprimes au jour le jour, ta foi baptismale. Pour bien montrer le lien entre la conversion et la prise de conscience déchirante de ton péché, Augustin définira encore la pénitence comme un "baptême dans les larmes", en référence au baptême dans l'eau et l'Esprit.

Tu comprends aussi combien ce sentiment du péché est encourageant et tonifiant, alors que le sentiment de la faute te plonge dans la dépression, le découragement et en fin de compte, dans l'orgueil. Oui, tu es un pécheur, ce qui veut dire que tu as besoin de Jésus-Christ, mais il n'y a aucune place pour le découragement, car tu sais en qui tu as mis ta confiance. En lui, tu peux accomplir tout ce qu'il te demande et ton péché est moyen de grâce. Sans lui, ta vie n'a aucun sens.

Pour recevoir l'intelligence et le sens du péché, tu as à subir une véritable "initiation" ; tu ne peux provoquer en toi un tel bouleversement. Dans la prière, libère-toi des peurs enfantines et stériles du péché qui sont des caricatures de la vraie contrition. Ton vrai péché est d'avoir un coeur de pierre (Ez. 36,26) et de ne pas en souffrir. Tu es insensible à la tendresse infinie de Dieu à cause de la carapace secrétée autour de ton coeur pendant des années d'endurcissement. Plus profondément, tu n'acceptes pas en vérité d'avoir à fonder ta vie chrétienne sur un don gratuit de Dieu.

Si tu acceptes de reconnaître ce coeur de pierre et ton refus inconscient de te laisser aimer par Dieu, alors tu es menacé par l'invasion de la charité. Tu comprends aussi comment l'amour du Christ est blessé par ton indifférence à la manière dont tout grand amour est blessé par l'inconscience de celui qui en est l'objet. Mais pour que tu en arrives à avoir le coeur broyé par les larmes du repentir, il faut que le Saint Esprit s'en mêle, et te réveille de ton sommeil profond. Dans le sacrement de pénitence, la venue objective de l'Esprit fait éclater la carapace de ton coeur de pierre et libère la présence intérieure de l'Esprit qui peut alors prier le Père en gémissements ineffables.

21. Laisse-toi rencontrer par le Christ, c'est la grâce des grâces.

En Jésus, tu pénètres dans la plénitude de Dieu et tu approfondis ta vérité d'homme. Il faut donc aller à lui comme au fondement et à la source de ton existence. A tous les âges de ta vie, tu as à redécouvrir le Christ comme une personne vivante qui polarise et unifie tes désirs, donne un sens à ton histoire. Quand on ne recherche plus le Christ vivant avec toutes les forces de son être, la vie devient invivable. Comme Paul, tu dois pouvoir dire : "Pour moi, vivre, c'est Jésus-Christ". Jésus est-il le sujet de ta propre vie ? As-tu soif de le voir, de lui parler, d'être uni à lui, en un mot de le rencontrer dans le face à face ? Tant qu'il y aura dans ton existence une part, si minime soit-elle, qui n'a pas été brûlée par Jésus, tu ne seras pas évangélisé.

Tu dois donc le rencontrer et le fréquenter à chaque heure du jour pour que tu deviennes un même être avec lui. Jésus n'est pas un personnage historique, ni un événement du passé ; par sa résurrection, il est devenu un mystère vivant dont tu peux faire l'expérience spirituelle. Ne fais pas d'effort désespéré pour le rejoindre dans quelque espace interstellaire, il est proche de toi, en toi, car il habite en ton coeur par la foi.

Tu peux faire l'expérience personnelle de Jésus présent et vivant en toi. J'ai beau le décrire à tes yeux, commenter l'Evangile, parler de sa psychologie, si tu ne l'as pas rencontré dans un contact vivant et intime, mes paroles ne sont qu'airain sonnant. Il y a trop d'apôtres qui parlent de

Jésus-Christ sans le vivre et l'expérimenter par le dedans. Ne reste pas à l'extérieur de l'événement relaté par l'Evangile, c'est toujours la personne de Jésus et son mystère qui sont au centre du récit.

Ne t'imagine pas rencontrer le Christ si tu n'acceptes pas de consacrer de longs moments à le contempler dans la prière silencieuse. Qu'il soit l'unique objet de ton attention et de ton coeur. Braque ta caméra sur la personne de Jésus pour essayer de discerner, au-delà de son visage et de ses paroles, le secret de son mystère. Ce n'est pas toi qui le cherche, c'est lui qui veut se révéler à toi. A la question de l'aveugle-né qui veut connaître le Fils de Dieu, Jésus répond : "Tu le vois, c'est lui qui te parle" (Jn. 9,37). Ne rivalise pas d'affection avec lui, mais laisse-le t'aimer.

Jésus s'adresse à toi en ton secret le plus personnel ; il te dévoile sa Gloire et te pose l'unique question : "Qui suis-je pour toi ?" Tu ne peux pas y répondre sans une action profonde du Saint Esprit qui besogne en toi pour te révéler le Christ. Alors retourne sa question et dis-lui : "Qui es-tu, Seigneur ?". Dans ce regard qui vient vers toi, le visage du Christ se découvrira et c'est alors que prendra naissance ce rapport d'amitié où deux êtres se regardent les yeux dans les yeux.

Tu dois parvenir à une connaissance de Jésus sans intermédiaire et sans procuration. Ce que tu demandes ici dans la prière, ce n'est pas une connaissance extérieure donnée par le travail de l'intelligence ou l'effort de la volonté, mais l'invasion de Jésus en toi. La connaissance qui en découle est celle d'un être connu et aimé de l'intérieur, au-delà des mots et des choses.

A travers une relation d'amitié, saint Jean a fait cette expérience personnelle de Jésus. Demande-lui la même grâce en savourant ces paroles : "Ce qui était dès le commencement, ce que nous avons entendu, ce que nous avons contemplé, ce que nos mains ont touché du Verbe de vie, ... nous vous l'annonçons" (1 Jn. 1,1-3).

En te laissant rencontrer par Jésus, tu goûteras sa présence et son amitié, mais il ne te retiendra pas à lui car il est tout orienté vers le Père. Et c'est là le paradoxe de la rencontre avec Jésus : plus on lui devient intime et familier, plus il nous réalise en tant qu'homme et plus il nous entraîne dans le sein du Père. Tu n'as pas fini de sonder de tels abîmes. La rencontre avec Jésus te renvoie aussi vers les autres : "Va vers les frères", pour leur annoncer la Bonne Nouvelle que tu as expérimentée et qui est seule capable de combler le coeur des hommes.

22. Bienheureux es-tu si tu es atteint par la maladie de Jésus-Christ, tu ne pourras plus guérir mais tu auras la vraie vie.

Ta foi est sérieusement remise en question au contact de la majorité des incroyants qui t'entourent. On te dit qu'elle est le produit d'une civilisation sacrale dépassée ou le fruit d'une société économique qui a inventé Dieu pour endormir la révolte des pauvres. Et si tu en viens à interroger les sciences humaines, la réponse est encore plus douloureuse. Tu découvres en effet que ta foi est grevée par bien des déterminismes, à commencer par un infantilisme et un besoin de sécurité que tu n'as pas encore liquidés, ou par peur, ou par un désir d'échapper à ta solitude. A certains jours, tu te demandes si tu n'as pas bâti ta vie sur un rêve idéaliste et si tu ne perds pas ton temps à prier et à vivre pour les autres. Cette tentation est d'autant plus lancinante que tu as misé toutes tes forces vitales sur la personne de Jésus et sur son Royaume.

Ne rejette aucune de ces interrogations, laisse-toi remettre en question par les incroyants et aussi par les interprétations qui viennent du dedans. Il est bon que tu communies jusque dans ta chair à cette angoisse des hommes en face de leur destin. Comme Thérèse de Lisieux, tu es assis à la table des pécheurs et tu traverses le long tunnel de l'obscurité. Ne fais pas le malin avec tes connaissances religieuses et ne te crois pas autorisé à parler de Dieu comme si tu l'avais vu , et du ciel, comme si tu l'avais visité.

Au fond, ta foi se purifie de toutes ses idoles et des faux-dieux que tu fabriques tout au long de ton existence pour te protéger du vrai Dieu. Tu atteins ce point critique où toutes les raisons de croire deviennent des raisons de douter. C'est alors qu'apparaît au coeur de ta nuit, cette petite étincelle qui n'a cessé de t'éclairer depuis des années. Il y a, au plus profond de ton être, une conviction qui ne t'a jamais abondonné, même si elle est fragile et ne semble tenir qu'à un fil. Tu as tout lâché pour elle, tu as accepté de connaître la pauvreté et la solitude et tu as voulu que toute ton existence soit polarisée par elle.

Si tu creuses encore plus profond, tu découvriras qu'un jour le visage de Jésus-Christ s'est dévoilé à toi, qu'il t'a séduit en ne te laissant plus aucun repos au point que tu as tout sacrifié pour lui. Bien sûr, tu ne l'as pas vu avec les yeux du corps et son visage demeure encore voilé, mais il a laissé sa trace dans ton coeur, et c'est bien des années après que tu le reconnais au point que ta vie n'aurait aucun sens sans lui. Comme Paul tu peux dire : "Jésus-Christ, c'est ma vie" (Phil 1 21). Sur le mur de sa cellule, Thérèse de Lisieux avait gravé avec une épingle cette parole : "Jésus est mon unique amour". Et tu sais bien qu'elle ne sortait pas tous les jours d'un rendez-vous clair et lumineux avec le Christ.

C'est là qu'il faut chercher la source de ta vocation à la prière, car le mystère d'un fleuve, c'est toujours le mystère de sa source. Oui, il y a des êtres qui ont la passion de l'oraison, c'est mystérieux, mais c'est ainsi. Ils sont dévorés par cette soif de prier et de chercher à tout prix la face du Christ. Ils ne sont pas meilleurs que les autres, bien plus, ils ont davantage conscience de leur péché mais au fond de leur misère et de leur pauvreté, ils ne peuvent se détacher du visage de Gloire et de la personne de Jésus-Christ. Ils ont hâte de passer des heures interminables et bienheureuses à vivre dans le rayonnement de cette présence. Même dans leur sommeil, cette occupation fascinante remonte à la surface de leur coeur. Comme Charles de Foucauld, ils ne sont heureux que dans un colloque d'amitié avec leur bien-aimé frère et Seigneur Jésus.

Tu es bienheureux si une telle grâce t'est advenue. Tu ne guériras jamais plus si tu es atteint de la maladie de Jésus-Christ. Mais sache aussi que tu portes un secret qui doit rayonner aux dimensions de l'univers. Tu peux être enfoui au coeur du monde et n'avoir aucun moyen de crier à tes frères que le visage du Christ te brûle, ta foi atteint les extrémités de la terre. N'en aie aucun orgueil, car c'est un don gratuit de Dieu. Alors, de jour ou de nuit, dans les souffrances du désert ou les joies de l'amitié, seul ou parmi tes frères, attentif ou distrait, tu te sentiras attiré par cette mystérieuse présence du visage de Jésus. Le coeur du Christ ne cessera d'exercer sur toi une irrésistible attraction et tu ne pourras jamais plus oublier Jésus-Christ.

23. C'est chaque jour de ta vie que tu as à redire : Je m'attache et me livre à Jésus-Christ.

Après une expérience douloureuse où il avait pris conscience de sa pauvreté radicale, un de mes amis me disait un jour : "Mon péché me rend encore plus amoureux de Jésus-Christ". C'est vrai, il avait dû re-choisir le Christ en se consacrant à nouveau à lui. Tu sors grave de ta contemplation du péché mais tu es loin d'être découragé car tu as entrevu dans le pardon de Dieu l'amour de Jésus qui se livre à toi. Comme le disait déjà sainte Thérèse de Lisieux : "L'amour ne se paie que par l'amour". C'est pourquoi, tu es maintenant à pied d'oeuvre pour renouveler ta foi au Christ.

Tu penses parfois qu'il suffit de choisir le Christ au moment des grandes étapes de ta vie ; sache qu'il n'en va pas ainsi, mais que tu es chaque jour en "état d'évangélisation". C'est pourquoi l'Eglise t'invite chaque année, au moment de Pâques, à renouveler ta foi au Christ. Il est le but et la source de ta vie, c'est pourquoi tu dois le "reconnaître" chaque jour. Il ne s'agit pas seulement de faire un acte intellectuel de foi mais de donner à toute ton existence une certaine orientation qui te conforme à la manière de penser, d'agir et d'aimer du Christ.

Bien sûr, il est des étapes où ce choix est plus radical car il s'agit d'une option qui remet en question les profondeurs de ton être et de ta destinée. C'est le cas du choix au moment de l'adolescence ou vers quarante ou cinquante ans au moment où tu veux donner à ta vie une qualité d'amour et de liberté. Ce choix est toujours possible et il est l'expression la plus profonde de ta personnalité. Bien souvent, il inaugure ou dénoue une crise de croissance dans ton histoire personnelle, car il polarise et unifie tous tes désirs autour de la personne de Jésus-Christ. En donnant un sens nouveau à ta vie, il te marque ainsi pour le temps et pour l'éternité.

Ce que tu demandes ici dans une prière intense, c'est le désir et la volonté de répondre à l'amour de Jésus en te livrant totalement à lui. Au fond, tu veux refaire aujourd'hui, en pleine connaissance de cause et avec toutes les puissances de ton être, l'offrande de ton baptême. Tu veux viser au plus grand amour et, avec la grâce de Dieu, te mettre au service du Royaume.

Dans la prière, il faut donc te placer résolûment devant la personne de Jésus qui veut te réaliser totalement. Jésus est un être vivant, il habite en ton coeur par la foi. Qu'importe si tu ne ressens pas sa présence pourvu qu'elle y soit, c'est l'essentiel. Le reste est sentiment et littérature.

Relis en Jean, 1, 35 à 51, la première rencontre des disciples avec Jésus. Laisse-toi interpeler par lui : "Que cherches-tu ?" (1,38), et reprends à ton compte la réponse d'André et de Jean: "Maître, où demeures-tu ?". Et puis, suis le Christ c'est à dire entre dans le mystère profond de la connaissance de sa personne et reste avec lui tout au long de la journée.

Tu sais passer une journée avec tes meilleurs amis, pourquoi n'en passerais-tu pas une avec le Christ, à vivre en tête à tête avec lui. Si tu sais demeurer dans le silence à l'attendre, il te fera faire l'expérience de sa présence, tu auras surtout la "grâce" de sa présence. Et pour passer cette journée, tu liras simplement l'Evangile, en laissant tomber une à une dans ton coeur les paroles de Jésus. Ainsi tu te pénétreras de sa pensée et de son amour.

Alors il pourra te révéler le secret de son être intime, il inscrira en ton coeur ses noms propres et par-dessus tout se donnera à toi dans un contact d'amitié qu'aucun mot humain ne saurait traduire. Tu l'entendras te poser cette ultime question : "Mon fils, donne-moi ton coeur". Puisses-tu lui répondre le "oui" de Marie à l'Annonciation !

24. Jésus-Christ te rejoint au point névralgique où se dessine ta vie.

"Je vous annonce une bonne nouvelle... un Sauveur vous est né, qui est le Christ Seigneur" (Lc. 2,10-11). Sais-tu ce que c'est qu'une bonne nouvelle ? Demande à ceux qui ont vécu dans les camps de concentration et qui, un beau matin, ont vu arriver les Alliés ; ils te diront ce que c'est!

Eh bien, la venue du Christ sur terre est une bonne nouvelle décisive, une adresse qui rejoint les valeurs les plus profondes de ta vie. En terminant son Evangile, saint Jean en note bien l'intentionnalité : "Ceci a été écrit pour que vous croyez que Jésus est le Christ, le Fils de Dieu, et qu'en croyant, vous ayez la vie en son nom" (Jn. 20,31). L'Evangile est la vérité révélée en tant qu'elle te rejoint au point décisif où se dessine ta vie. Tu as beau connaître le "fait""de Jésus-Christ, s'il n'est pas pour toi le Sauveur, tu n'as pas la foi.

La première fois que Jésus s'adresse à un homme, c'est pour lui dire : "Que cherches-tu ?" (Jn. 1,38). En annonçant la bonne nouvelle, le Christ cherche à t'atteindre dans les valeurs que tu considères comme vitales et impératives. Paul dira qu'il recherche les aspirations (a-spirare) profondes de l'homme, ce à quoi il aspire d'une manière ultime. En un mot, la qualité de tes désirs profonds. Et quand Jésus rencontre des hommes qui ne cherchent plus rien, il les "inquiète", au bon sens du terme, et les met en recherche. Vois comment il creuse profond le coeur de la Samaritaine, pour y déceler son désir de Dieu caché par le péché et lui proposer l'eau vive.

Paul dira encore : "Que la Parole de Dieu habite dans vos coeurs". En t'évangélisant, Jésus place sa Parole "dans" ton coeur. C'est bien au-delà de ta raison, de l'expérience de de ta vie morale, c'est le coeur, source de toute ta vie. Paul VI ne parlera pas autrement en s'adressant aux représentants des Nations Unies : "Ces voix profondes du monde, dira-t-il, nous les écouterons". Jésus ne recherche pas seulement les aspirations des personnes, il vient aussi répondre aux aspirations des peuples dans leur ensemble.

Tu dois laisser monter à ta conscience ces désirs qui gisent au plus profond de toi. De même il faut écouter les voix du monde moderne et communier à ses aspirations : appel des jeunes, à la liberté, à la communion, à l'expérience profonde, à la réussite de l'avenir, à la paix, à la dignité, à la justice. Ecoute toujours ce que l'autre te dit sans le filtrer. En fait, tu aspires comme lui à la vie, à la lumière, à la paix, à la liberté, à la sainteté et au bonheur. C'est tout cela que Jésus rejoint en venant en toi. Discerner ces voix, ce n'est rien d'autre que d'être attentif à l'action invisible de l'Esprit en toi et dans le coeur de tes frères. A l'oraison, ce n'est pas une perte de temps que de déceler ces aspirations et de les mettre à nu sous le regard de Jésus Sauveur.

D'abord, tu as faim de pain et de nourriture, mais cette faim matérielle traduit une faim plus profonde : tu désires vivre heureux et échapper à ce drame angoissant qu'est la mort.

Tu aspires aussi à la connaissance et à la lumière, non pas celle qui t'est donnée par la science et la technique et qui est l'oeuvre de ton intelligence humaine, mais la lumière sur ta propre vie. Tu veux découvrir le sens de ton existence. Certes, l'homme a faim de justice et d'amour, mais il a encore plus faim de signification : "D'où viens-tu, où vas-tu ?" L'homme d'aujourd'hui a plus faim de sens que de pain, il a plus besoin d'assurance que de puissance. Tu cours après la vie sans espoir de la rattraper au dernier moment comme l'on saute sur les marches d'un wagon qui a commencé de partir (Ionesco). Que d'hommes conçoivent comme un malheur le fait d'exister. "L'homme est une passion inutile" disait Sartre.

Puis tu veux aimer et être aimé. Tu ne peux te contenter des biens de consommation ou des satisfactions du pouvoir. Tu es fait pour la rencontre, le sourire, le regard, pour entrer en communion.Tu veux échapper à ta solitude et tu as besoin d'être reconnu par un autre pour ne pas étouffer tout seul dans ta peau.

Ensuite tu désires la liberté : liberté physique, liberté psychologique qui te délivre des déterminismes de toutes sortes et liberté morale qui t'arrache au péché.

Enfin, tu as soif de Dieu. Quel qu'il soit, l'homme aspire à la sainteté, à voir Dieu, même si ce désir est recouvert par les alluvions d'une société de bien-être. Tu es fait pour Dieu et tu ne trouveras le bonheur qu'en te reposant en lui :"Je ne connais qu'un problème pour l'homme, disait Camus, comment être un saint sans Dieu".

C'est impossible... mais il y a Jésus-Christ.

25. Jésus-Christ est celui qui comble, en les dépassant infiniment, toutes tes aspirations humaines.

Grâce à l'Esprit Saint, tu comprendras, dans la prière, que Jésus est Sauveur. Qu'est-ce à dire ? Qu'il comble, en la dépassant infiniment, ton aspiration humaine. La foi ne vient pas de l'extérieur te proposer une issue possible, elle te dévoile le sens de ce que tu vis à partir des questions que tu te poses.

Bien sûr, le salut apporté par Jésus-Christ est surnaturel, c'est-à-dire qu'il transcende ton attente, mais la vie divine qu'il te communique n'est pas étrangère à ta vie humaine, elle en est l'épanouissement parfait. La vocation surnaturelle n'est pas plaquée de l'extérieur, elle appartient à ta vocation d'homme, elle l'explique en lui permettant de s'achever ; par grâce, elle s'accomplit en plénitude. Croire en Jésus-Christ, c'est le rencontrer comme principe et source de la vraie vie, c'est reconnaître en lui la signification dernière de ton existence personnelle, sociale et historique.

La communion, la joie et la sainteté que Jésus t'apporte dépassent infiniment ton attente d'homme. C'est pourquoi l'homme est étonné, ébahi, devant le salut apporté par Yahvé (Is. 52,15 et Is. 54). "Ils étaient stupéfaits de ce que leur annonçaient les bergers". Tous les hommes qui ont rencontré le Christ dans l'Evangile sont comblés de joie (Zachée, la Samaritaine, etc...) car ils ont trouvé la perle du Royaume. Le salut apporté par le Christ dépasse, mais aussi rejoint et comble ton attente d'homme. C'est un surcomble. Comment le Christ vient-il combler tes aspirations ?

A ta faim de vivre, il donne un pain qui nourrit et rassasie : "Qui mange ma chair et boit mon sang a la vie éternelle et je le ressusciterai au dernier jour" (Jn. 6,54).

A ton désir de connaître et à ton besoin de sens, Jésus apporte sa lumière : "Je suis la lumière du monde : qui me suit ne marchera pas dans les ténèbres, mais aura la lumière de la vie" (Jn. 8,12).

A ta soif d'amour et de communion, il donne

l'eau vive de sa grâce et de son amitié qui désaltère et étanche : "Celui qui boit de cette eau n'aura jamais plus soif : l'eau que je lui donnerai deviendra en lui source d'eau jaillissant en vie éternelle" (Jn. 4;14).

A ton désir de liberté, il apporte une sainteté qui libère et divinise, tout en te donnant la joie en plénitude.

Et enfin à ton désir de Dieu, il répond en te conduisant au Père. Bien plus, il te fait participer dès ici-bas, par la grâce, à l'expérience qu'il eut de Dieu son Père, lui, le fils de Marie la Galiléenne, le Verbe consubstantiel du Père. Car, ne l'oublie jamais, croire pour toi, c'est entrer avec Jésus, sous la mouvance de l'Esprit, dans sa relation au Père.

Voilà ce qu'est notre foi en Jésus-Christ : une plénitude de l'homme dans sa relation au Dieu vivant et Saint : "Je ne suis pas venu détruire, mais accomplir et combler".

Dans la prière, laisse-toi interpeler par le Christ, Il te pose l'unique question : "Qui suis-je pour toi ?". L'as-tu rencontré vraiment ? Est-ce un personnage du passé ou un être vivant aujourd'hui qui donne un sens à ta vie ? Comme saint Paul, pourrais-tu dire : "Pour moi, vivre, c'est Jésus-Christ".

Es-tu évangélisé jusque dans les profondeurs de ton être ? N'y a-t-il pas en toi un part, aussi minime soit-elle, que tu soustrais à l'action de sa grâce ? En chacun d'entre nous, il y a aussi une "extrémité de la terre" qui doit être évangélisée (Madeleine Delbrêl). En un mot, croyons-nous qu'il est capable de nous combler en plénitude ? Croire, ce n'est pas seulement changer d'existence, passer de l'existence d'en-bas à l'existence d'en-haut, c'est opter pour ou contre l'existence, pour ou contre la vie. L'enjeu de la foi, c'est être ou ne pas être.

Prier, c'est répondre à Jésus avec saint Pierre au plus intime de ton coeur : "Seigneur, à qui irions-nous ? Tu as les paroles de la vie éternelle. Nous croyons, nous, et nous savons que tu es le Saint de Dieu" (Jn. 6,68-69).

Découvrir que le Christ te comble en plénitude, cela te conduit fatalement au désir brûlant de mettre tout homme au contact du Sauveur Jésus. Tu ne peux vivre tranquille et en paix tant qu'il y aura sur terre des hommes qui n'ont pas été saisis par le Christ. As-tu la hantise d'annoncer le Sauveur? Tes lèvres brûlent-elles du nom de Jésus ?

C'est à la lumière de cette question que tu découvres ta mission dans le monde. Annonces-tu un Sauveur ou un juge, le salut ou la loi, la communion ou l'organisation, l'Evangile ou les Commandements ? A la fin du Concile, le P. de Lubac posait cette question aux Pères : "Est-ce que nous présentons encore le Sauveur ?". Et surtout ne va pas croire que nous sommes ici en dehors de la prière ou que l'action apostolique est une conséquence de la prière contemplative ; non, car évangéliser, c'est prier et rendre un culte à Dieu. Paul dit clairement que Dieu lui a fait la grâce "d'être un officiant du Christ Jésus auprès des païens, prêtre de l'Evangile de Dieu, afin que les païens deviennent une offrande agréable, sanctifiée dans l'Esprit Saint" (Rm. 15,16).

Tu as à manifester le Sauveur, car il n'y a évangélisation que s'il y a manifestation. Tu dois signifier le Sauveur aux autres et tu ne peux te contenter pour cela de ta seule prière. Un contemplatif sanctifie le monde, mais n'évangélise pas ; son action est irremplaçable, mais il faut aussi des témoins.

D'abord tu dois montrer et faire voir par ton existence le Sauveur. Il faut que tes frères voient le Christ en toi. Les chrétiens font-ils voir aujourd'hui que le salut est arrivé "pour cette maison", que leur pain nourrit, que leur joie est pleine, que l'Evangile est lumière et qu'il sanctifie. Partageant la vie de tous les hommes, tu as un rôle privilégié pour que les non-chrétiens puissent entrevoir le Christ à travers ton être et toutes tes activités humaines : vie personnelle, familiale, politique et sociale. Tu évangélises par ta propre vie, car il faut des signes existentiels du salut.

Tu dois transmettre ta contemplation, ta joie, ton amour et ta liberté. Il faut que la lumière des béatitudes illumine ton visage et éclaire tout homme qui te voit vivre. Au fond, tu n'as qu'une chose à faire : entraîner tes frères à entrer dans cette contemplation du Christ qui t'a saisi et a changé ta vie. Le modèle des missionnaires est la Samaritaine : après avoir découvert le Christ, elle invite ses concitoyens à le rencontrer: "Venez voir un homme qui m'a dit tout ce que j'ai fait. Ne serait-ce pas le Christ ?" (Jn. 4,29).

Enfin, montre le Christ par tes paroles. Il ne s'agit pas de transmettre une formule, une idéologie, mais une Personne, Jésus-Christ : un être de joie, de paix, de lumière et d'amour. Jésus est venu apporter sur terre le feu de l'amour, et non point un livre. Au moment venu, tu dois dire à tes frères que c'est Jésus le Sauveur et non pas Marx ou Mao. Surtout, sois bien attentif à l'homme pour annoncer le Christ au coeur de son existence. Pour cela, il ne t'est pas nécessaire d'être un héros, un savant ou un homme à la mode, mais un Saint, c'est à dire un passionné de Jésus-Christ.

26. En Jésus-Christ, ta vie prend consistance et solidité, en un mot, elle s'unifie.

Tu rêves d'une vie où tu aurais de longs moments de solitude pour prier mais lorsque tu as du temps libre, tu t'éparpilles dans le divertissement. Tu souffres d'un tiraillement entre tes multiples occupations et ton désir de posséder ta vie en mains. Surtout n'accuse pas les circonstances extérieures, le manque de temps ou tes nombreuses relations mais prends conscience que le véritable malaise est en toi. Tu as à réaliser la synthèse entre ton être intime et ton être-pour-autrui.

Tu fais chaque jour l'expérience de l'émiettement et du temps "dispersé" sans projet et sans liberté. Tu as de la peine à trouver ta propre identité car tu es dispersé, vivant à la surface de toi-même. Tu éprouves le désir d'unifier ta vie dans la présence à toi-même, dans l'accueil des autres et des choses extérieures. En un mot, tu souhaites faire l'expérience d'Augustin au moment de sa conversion. Il dit lui-même qu'il passa alors de la "distention" à "l'intention", de l'émiettement à l'unification, de l'effort qui disperse à l'effort qui concentre et unifie.

Ce n'est pas au niveau des techniques que peut se réaliser ce mouvement de pacification. Seule, une existence polarisée et unifiée autour d'une présence est capable de t'arracher au sentiment d'écartèlement et d'émiettement qui te divise intérieurement. Tu dois être présent à toi-même pour être capable d'accueillir au centre de ton être, pour l'intégrer, l'apport extérieur des personnes, des choses ou des idées reçues. Comme dit Mounier : "Il faut que ton dialogue intérieur soit tel que tu puisses le poursuivre avec la première personne que tu rencontres".

Mais il y a encore une unification supérieure, celle qui s'opère autour de la présence de Dieu en Jésus-Christ. Tu échappes alors à la dispersion et à l'écartèlement. Saint Augustin nous dit qu'après sa conversion, il a fait l'expérience tonifiante d'un temps rassemblé par le Christ, qu'il est passé de la "distention" à "l'intention". Le Christ recueille la poussière de tes instants pour les unifier dans une histoire de salut. La présence de Jésus-Christ dans l'oraison est une fenêtre ouverte sur Dieu. Lorsque tu ouvres une fenêtre, la poussière qui flotte au hasard est orientée et unifiée par le rayon du soleil. Ainsi ton attention et ton intention portées sur le Christ unifient la poussière des instants et des événements de ta vie.:

> "Voici que ma vie n'est que dissipation ; et votre main m'a recueilli en mon Seigneur, le Fils de l'homme, le Médiateur entre votre unité et notre pluralité... Je m'attache à votre unité. Oublieux de ce qui est derrière moi, sans aspiration inquiète vers ce qui doit venir et passer, tendu seulement vers les choses présentes, je poursuis, par un effort exclusif de tout éparpillement, cette palme de la vocation

céleste.
Mais moi, je suis dispersé dans le temps, dont l'ordre m'est inconnu. Mes pensées, la vie la plus intime de mon âme, se sentent déchirées par tant de vicissitudes tumultueuses, jusqu'au jour où, purifié et fondu au feu de votre amour je m'écoulerai en vous tout entier". (1)

Tu trouves ton unité le jour où tu places ton centre de gravité en Dieu. Ton existence prend alors une stabilité qui s'enracine dans l'éternité. C'est encore Augustin qui dit : "Alors je prendrai consistance et solidité en toi". Il n'y a pas de recette pratique pour unifier ton être autour de la présence de Dieu. On ne peut y arriver en lisant trois romans, comme on s'y prend pour étudier l'anglais en quelques mois.

Tu ne peux prétendre vivre en cette présence d'une manière habituelle si tu ne prends pas le temps de consacrer de longs moments à être là en sa présence, dans l'attente de sa visite et de sa volonté. C'est au-delà des idées, des mots et des sentiments. Un peu à la fois, sans que cela dépende de toi, tu seras pénétré et envahi par cette expérience de Dieu tout proche, et tu pourras dire avec Mounier : "Ma règle unique, c'est d'avoir sans cesse le sentiment de la présence de Dieu". Plus tu avanceras dans cette nuée obscure, plus tu te sentiras incapable de la traduire dans des mots. Bien plus, comme sainte Catherine de Sienne, tu ne pourras plus rien dire de Dieu sans le nier aussitôt et avoir l'impression de blasphémer.

---

(1) ST AUGUSTIN, Confessions, Livre XI, ch. 39

27. Suivre Jésus-Christ, c'est entrer dans le mystère de la Croix glorieuse.

Si tu entres assez profondément dans le mystère de la personne de Jésus, tu comprendras qu'il est venu te libérer en te recréant à l'image de Dieu. Mais il ne réalise pas cette recréation d'une manière spectaculaire, il le fait à la manière du Serviteur Souffrant d'Isaïe (ch. 53). Jésus te sauve par l'amour et donc par l'humiliation et l'obéissance au Père. C'est dans le mystère de la Croix glorieuse que Jésus t'enfante à la vie filiale. N'évacue pas trop vite le scandale et accepte d'être profondément déconcerté par la folie de la Croix.

Sache que tu ne peux connaître vraiment Jésus qu'en entrant dans le mystère de sa Croix. Garde-toi d'une connaissance qui ne serait que notionnelle et qui ne serait pas vitale et existentielle. On ne connaît Jésus qu'en s'engageant à sa suite. Te donner à lui avec toutes les forces de ton être et tout l'amour de ton coeur, c'est accepter d'être entraîné là où tu ne voudrais pas aller, c'est à dire dans la Passion. C'est en donnant sa vie que Jésus connaît réellement son Père : "Comme le Père me connait, ainsi je connais le Père, et je donne ma vie pour mes brebis" (Jn. 10,15). La vraie connaissance de Dieu culmine en volonté de sacrifice car Dieu est essentiellement amour et don.

Quand le Christ t'invite à le suivre et à porter sa Croix (Lc. 9,23-26), il te propose d'évacuer le rêve de ta vie pour te donner réellement à lui. Tu ne donnes pas ta vie à une cause, un système ou une idéologie mais à une Personne : "... à cause de moi", dira Jésus. A son invitation, tu peux te dérober comme le jeune homme riche, alors le Christ te regardera tristement partir. Tu peux aussi dire, comme les fils de Zébédée : "Oui, nous pouvons boire ton calice" (Mt 20,22). Ce "oui" est dans la ligne de ton baptême et de ton offrande. Il implique que tu suives Jésus partout où il ira, en partageant sa mort glorieuse.

Mais il ne suffit pas d'accepter verbalement de suivre le Christ ; le mystère de la Croix doit être vécu dans toute ton existence d'homme par une assimilation toujours plus vraie au Seigneur Jésus. C'est là que se pose le don réel de toi-même pour le service du Royaume. Le mystère de la Croix qui effraie tant l'homme moderne, jaloux d'un certain épanouissement, ne peut être compris que dans l'amour, sinon la Croix est plantée dans l'absurde et devient un faux scandale. Pour te donner, il faut te renier toi-même, et pour te renier, il faut que tu existes. Tu ne peux fonder l'abnégation sur le néant de ta nature d'homme. Seul celui qui fait don et abandon des choses et des êtres qu'il aime peut les saisir dans une relation gratuite d'amour.

Alors le don de toi-même suit un double mouvement :
- D'abord l'acceptation de ta réalité d'homme. Avant de songer à t'offrir au Christ, il faut, pour le moins, être. Le Seigneur demande que tu développes à fond tous les dons qu'il a déposés en toi : corps, esprit, coeur, volonté et liberté. Toutes les forces vitales qui naissent au coeur de ton être doivent être accueillies en toute lucidité et ce serait un mal de les refouler sous prétexte de

renoncement. Bien des difficultés viennent de ce que tu refuses de t'accepter tel que tu es avec toutes les puissances qui gisent en toi.

Mais l'amour vrai du Christ suppose aussi que tu ne t'enfermes pas sur ses dons en les gardant jalousement pour toi ou en les utilisant pour ta propre jouissance. C'est en cela que consiste le péché : au lieu d'en faire des moyens de relation au Père, et aux autres, tu les fais servir à ta propre fin. Ainsi tu reprends tout l'ordre naturel, toutes tes aspirations, et tu les dépasses pour te livrer au Christ en acceptant d'être envahi par la grâce de la divinisation. Renonce à avoir tes idées sur la question et accepte l'inattendu de la personne du Christ. C'est là une vraie conversion qui suppose un retournement de toi-même.

Il revient au Christ de te purifier dans tes forces vives. En te laissant faire par lui, il te purifie dans la tendance qui te porte à mettre la main sur tes possessions légitimes. Il faut donc te charger de la croix de chaque jour, c'est à dire de cet ensemble de purifications que t'apportent les circonstances de la vie. Attention à ne pas fabriquer la croix dans ton atelier personnel, laisse le Christ te charger de "sa" Croix. En acceptant ainsi de perdre ta vie, tu la sauveras. Tu ne possèdes que ce à quoi tu renonces. Dans l'eucharistie quotidienne, tu professes publiquement ton désir de participer à son mystère de mort et de résurrection. En mangeant son corps et en buvant la coupe, c'est le Christ lui-même qui t'apprend à te livrer au Père et aux frères.

28. Suivre Jésus-Christ, c'est entrer dans un monde à l'envers.

Si tu acceptes de suivre le Christ, tu seras obligé de contester chaque jour le monde dans lequel tu vis, non pas que ce monde soit mauvais, au contraire, il est le lieu de la présence de Dieu et c'est le milieu où se réalise le salut, mais il est aussi le lieu de la présence de Satan, le Prince de ce monde. Le monde que tu dois contester est celui où règnent, en maîtres despotiques, l'argent, la puissance et l'impureté, où les petits et les faibles sont écrasés, où l'appât du gain pourrit les coeurs. Mais attention ! ta contestation du monde sera vraie si tu acceptes de te contester toi-même chaque jour, car tu es profondément solidaire du péché du monde. Comme le dit Claudel dans un langage cru : "Ta mauvaise haleine empeste l'univers".

Au milieu de cette génération, tu dois apparaître comme le pauvre de Dieu qui vit à plein l'esprit des Béatitudes. C'est le seul chemin de la sainteté, et c'est à la lumière de cet esprit qu'on jugera de l'excellence de ta vie chrétienne, et aussi de ton rayonnement apostolique. Tu évangélises dans la mesure où la lumière des Béatitudes illumine ton visage. Pour vivre ainsi, il te faudra aller à l'encontre de la mentalité ambiante, accepter d'être pauvre, humble et pur. Relis les chapitres 1 et 2 de la première Epitre aux Corinthiens, et tu comprendras que Dieu n'a pas choisi des sages selon la chair, ni des puissants mais ce qu'il y a de faible selon le monde pour confondre la force. C'est toujours à travers la faiblesse que Dieu déploie sa force. En un mot, qui résume tout : le chrétien vit "dans un monde à l'envers".

Porter ta croix, c'est entrer dans cette sagesse mystérieuse qui est incompréhensible aux puissants et aux gens bien nés. C'est l'attitude réalisée par Jésus, le pauvre de Yahvé par excellence. Plus que jamais, tu es ici dans un climat théologal, c'est-à-dire qu'il t'est impossible d'acquérir par tes seules forces l'esprit des Béatitudes. Seul le Christ pauvre peut te le donner ou, mieux encore, il est le seul à pouvoir le vivre et le réaliser en toi.

Dans la prière, mets-toi devant le Christ tel que Paul le décrit dans les Philippiens (2,6). Supplie-le de reproduire en toi et dans la communauté les sentiments qui l'animaient en te revêtant de sa pauvreté. Ou alors reprends le Magnificat et demande à la Vierge d'entrer dans cette lignée des pauvres de Yahvé dont elle était le vivant prototype.

Les Béatitudes visent à former en toi un coeur de pauvre, ouvert, disponible, oublieux de toi et capable de don. La pauvreté est un fruit qui naît de l'arbre de l'amour. Commence à aimer tes frères jusqu'à les sentir tes égaux ; alors cet amour te conduira très loin. Comme il a conduit Jésus à se dépouiller de ses richesses pour t'enrichir de sa vie, tu deviendras pauvre et humble et tu essaieras de faire à tes frères non seulement le don de tes biens, mais surtout le don de ta personne.

En elle-même la richesse n'est pas un mal, elle est de soi indifférente, et même utile, mais si tu n'y prends garde, elle développe en toi un processus d'appropriation qui te rend esclave et pousse à l'excroissance de ton moi. Tu es toujours menacé d'être un riche par ta culture, ta valeur humaine et spirituelle et tes succès apostoliques. Un pauvre n'a plus son centre de gravité en lui,il accepte de tout perdre pour Jésus-Christ, il est entièrement ouvert à l'autre et dépendant de lui. Ainsi, sois un pauvre, c'est à dire un être de désir, passionné de justice et de solidarité.

Laisse le Seigneur creuser ton coeur et t'arracher une à une toutes tes possessions, c'est le sens même des purifications décrites par saint Jean de la Croix. Tu ne sais pas au juste la richesse qui fait obstacle à son action car tu es bien souvent aveugle sur les propres richesses qui t'engluent. Alors laisse-le agir, il te désappropriera en extirpant un peu à la fois ce bien qui te ligote et que tu ne vois pas.

La prière creuse en toi un coeur pauvre, elle te donne une âme d'attente et de désir capable de discerner les vrais saluts des faux et pratiquement de reconnaître dans la Croix du Christ le salut de l'humanité. Autrement, tu t'imaginerais être le propre artisan de ta sainteté et de tes réussites apostoliques. Souviens-toi que la pauvreté est une loi radicale du monde surnaturel. Dieu fait des merveilles avec des instruments pauvres afin que ceux-ci ne gardent rien de sa Gloire et la lui rapportent tout entière d'une manière virginale. Placé devant cette vérité, prie intensément afin que le Christ t'admette à sa suite dans l'humilité des vrais pauvres qui attendent tout du Père et plus rien d'eux-mêmes.

29. Ne te laisse pas mettre en prison par aucune chose, mais garde ton coeur libre pour aimer le Seigneur et faire sa volonté.

En suivant le Christ pauvre, tu es au coeur de l'Evangile, et tu es disponible pour être saisi par l'Esprit qui t'ouvre à l'amour de Dieu. Mais une question se pose alors : comment te situer vis-à-vis des choses qui forment la trame de ta vie ? Faut-il les abandonner radicalement ou en user d'une façon sage ? Trop de chrétiens ou de religieux aujourd'hui en demeurent au plan moral lorsqu'ils recherchent une manière existentielle d'être pauvres. Ce n'est pas d'abord au niveau pratique et concret qu'il faut te situer, mais au niveau des profondeurs de l'être et de la liberté du coeur, les attitudes pratiques suivront naturellement. Au fond, la pauvreté évangélique ne porte pas seulement sur l'objet mais aussi sur la manière de le posséder ou d'être libre à son égard. Si tu n'en viens pas à cette liberté profonde, tu risques de mépriser les choses ou de les idolâtrer, mais d'une façon comme d'une autre, tu ne les aimes pas vraiment.

La vraie liberté spirituelle suppose que tu prennes du recul et une certaine distance vis-à-vis des choses pour ne pas t'identifier avec elles. Tu les possèdes légitimement mais au fond de ton coeur tu veux être libre devant Dieu par rapport à elles. Tu es comme le jeune homme riche qui est en règle vis-à-vis de la loi de Dieu mais qui éprouve un manque de liberté en face de ses biens. Il ne s'agit pas de tout donner, mais d'en venir à vouloir ce que Dieu veut pour toi. Ce n'est pas le mieux en soi qui est à vouloir, mais le mieux pour toi qui correspond à la volonté de Dieu.

Pour en arriver là, il est bon que tu prennes conscience de ces "choses" par rapport auxquelles tu as à te situer. Il ne s'agit pas seulement des objets matériels, des biens ou des personnes de ton entourage, mais aussi de tes activités, de tes aptitudes, de tes désirs et de tes pensées, en un mot de ton être profond. Une tentation grave serait de considérer ces réalités terrestres comme insignifiantes, provisoires et sans valeur. Or, tu ne peux aller vers Dieu qu'à travers elles, elles sont le lieu de ton service, de ton amour et de ton adoration.

N'oublie jamais que Dieu grandit en toi selon ton attitude positive par rapport aux choses et aux personnes. Le péché ne consiste pas à n'en pas user mais à en user mal. C'est une perturbation dans ta relation objective aux choses. Au lieu d'en faire des moyens de relation et d'amour, tu te refermes sur elles pour te constituer le centre du monde. Tu dois donc les reconnaître bonnes et précieuses pour ta vie chrétienne. Seule cette reconnaissance positive te rend capable de les abandonner correctement et sans ressentiment.

Pour abandonner les êtres et les choses, il faut d'abord que tu les aimes réellement. En les abandonnant alors, tu entretiendras avec eux des rapports de grande intensité car tu seras libre à leur égard et tu les voudras vraiment pour eux-mêmes : "Ce qui n'a jamais fait l'objet d'une décision, parce qu'on ne l'a jamais vraiment rencontré ne peut pas être non plus abandonné dans une libre décision" (K.Rahner). Il faut donc que l'abandon des personnes et des choses soit l'objet d'un choix et d'une décision véritables.

Tu reconnais dans ce mouvement la structure christologique de l'Incarnation rédemptrice. Jésus assume toute la réalité du monde et de l'homme mais tout cela est dépassé dans la croix et la mort. Ce n'est qu'en passant par l'une et l'autre qu'on retrouve toutes ces réalités transfigurées dans la gloire. L'amour et l'abandon des choses ne sont pas deux attitudes différentes et juxtaposées mais les deux phases d'un seul et même mouvement. Dans la mort, l'homme se sépare radicalement de

résurrection le remet
hoses qui sont trans-
ue le Christ veut dire
e centuple des biens
nt : "En vérité, je
té maison, femme, frè-
ause du Royaume de Dieu
e en ce temps-ci, et
éternelle" (Lc. 18,

tu chéris....

une montagne

rendre ce mouvement de
oi, lis dans l'Evangile
le conseil du Christ au jeune homme riche et ce qu'il dit ensuite du danger des richesses, mais contemple en filigrane de cette scène le sacrifice d'Abraham, tu comprendras alors la disponibilité que Dieu attend de toi . Au jeune homme comme à Abraham, Dieu demande ce qu'il a de meilleur, ce à quoi

il tient le plus : "Donne-moi ton unique". Tout ce que tu as est un don du Seigneur pour que tu le lui rendes.

Un tel sacrifice est incompréhensible au plan de la raison humaine. Il faut passer dans l'ordre de la foi et de l'amour. L'attitude d'Abraham comme celle des apôtres et de la Vierge est une remise totale d'eux-mêmes à Dieu dans la foi. Le mot qui exprime le mieux cette disponibilité confiante est : "Me voici". Dans la prière, demande-toi si tu as vraiment l'intention d'appartenir tout entier à Dieu, d'être livré et consacré à lui à travers ta liberté elle-même. Dans ce désistement de toi, tu t'abandonnes sans calcul en sachant que Dieu pourvoira à tout. C'est un acte de totale confiance en Dieu capable de ressusciter les morts, mais il te faut lâcher ce à quoi tu tiens le plus.

Tu retrouveras alors dans la grâce ce que tu n'as pas craint d'abandonner à Dieu. En elles-mêmes, les choses sont bonnes mais elles ne peuvent être possédées que dans la grâce et l'amour du Seigneur. Cette attitude d'indifférence à l'égard des êtres et des choses ne t'est pas naturelle car tu es sans cesse tenté de refermer la main sur ce qui t'entoure. Il faut donc t'exercer activement à prendre du recul pour libérer ta volonté. Une telle disponibilité doit s'étendre à toutes les dimensions de ton être jusque dans ton affectivité, ton action et même ton corps. Dans les Exercices, saint Ignace indique la manière de te comporter alors, lorsqu'il décrit le troisième groupe d'hommes :

> "Le troisième veut supprimer l'attachement, mais il le veut si bien qu'il ne tient pas plus à conserver qu'à abandonner le bien acquis ; il veut seulement le garder ou l'abandonner selon que Dieu, notre Seigneur, lui donnera de le vou-

loir, et selon ce qui lui paraîtra mieux pour le service et la louange de sa divine Majesté. En attendant, il veut se regarder comme ayant tout abandonné de coeur et il applique sa force à ne vouloir ni ce bien-là, ni aucun autre, si ne le meut le seul service de Dieu, notre Seigneur ; ainsi c'est le désir de pouvoir mieux servir Dieu qui le pousse à garder ou à laisser ce bien" (N° 155).

Il faut en venir à vouloir toutes choses dans la seule volonté du Seigneur. En ce domaine de l'indifférence, si l'attitude active est importante et dépend d'une décision libre de ta part, tu as aussi à te laisser faire par Dieu. Saint Ignace dit bien que Dieu agira à travers ta volonté qui doit accueillir l'initiative de Dieu. L'attitude active doit être englobée dans une confiance filiale en Dieu. Lui seul connaît les biens qu'il te faut, et les moyens concrets d'appauvrir ton existence concrète. Il y a en toi des biens qui tiennent tellement à ton être que tu ne peux pas les abandonner de toi-même. Il faut donc laisser faire Dieu qui t'appauvrira au détour des événements et des circonstances de ta vie. C'est peut-être là que la disponibilité est la plus difficile.

le jour où tu dois vraiment abandonner quelque chose, ou quand Dieu t'enlève, par les événements de la vie, un être auquel tu tiens vraiment, tu risques de tomber des nues. C'est seulement à cet instant-là que tu découvres combien il est difficile de supporter ce commencement de vide à cause de l'amour de Dieu qui, apparemment, ne te suffit pas totalement. En définitive, la vraie pauvreté, c'est de t'abandonner comme un enfant entre les bras de Dieu, l'aimant assez pour être heureux de sa seule volonté.

31. «Suis-je redevenu un enfant ?»

Peux-tu dire comme le petit pâtre du Dialogue des Carmélites : "Suis-je redevenu un enfant ?" As-tu remarqué le lien profond que Jésus établit entre l'enfance spirituelle et l'appel à la pauvreté radicale ? En saint Luc les deux enseignements se suivent (18, 15-27), comme si Jésus voulait te dire que pour entrer dans le Royaume, il faut redevenir pauvre comme un enfant qui n'est pas fasciné par ses biens et s'en remet à ses parents dans le détail de la vie. C'est pourquoi l'enfant est joyeux parce qu'il est totalement désapproprié de lui-même. La raison de la vraie pauvreté, c'est la totale confiance en Dieu.

Dès que tu as accepté d'être pauvre et de suivre Jésus-Christ humilié jusqu'à la Croix, laisse à Dieu le soin de choisir dans ta vie les biens et les êtres dont il veut te dépouiller. Surtout ne sois pas propriétaire du don de toi, mais laisse Dieu te prendre là où il veut. Habituellement, il t'atteint au point névralgique de ton existence, à cette jointure de la hanche qui est ta propre blessure. Nous avons tous en nous une pauvreté secrète qui fait notre croix et notre souffrance. Devenir pauvre, c'est accepter de vivre avec nos misères et nos contradictions pour que l'Esprit de Dieu puisse envahir cette part secrète de nous-mêmes blessée par le péché.

Alors, la joie divine pourra t'envahir et dans la mesure où tu seras désemcombré de toi-même tu seras heureux. Quelles que soient tes faiblesses, si tu t'offres à l'Amour miséricordieux du Père, tu expérimenteras l'infinie tendresse de Dieu : "Malheur aux riches parce que leur or les met à l'abri des extraodinaires tendresses de Dieu"

Par-dessus tout, crois que Dieu t'aime personnellement et qu'il dispose tous les événements de ta vie pour t'attirer à lui. Ton péché reconnu et avoué peut être l'occasion d'expérimenter combien Dieu t'aime. Dès que l'enfant prodigue revient à lui, le Père est touché de compassion et court se jeter à son cou pour l'embrasser longuement (Lc. 15,20). L'oraison n'est rien d'autre que cette étreinte amoureuse de Dieu qui serre sur son coeur et dans ses bras son enfant retrouvé.

Lorsque tu viens à la prière, ne commence pas à te regarder ou à revenir en arrière pour te réjouir ou t'attrister de ton expérience passée. Résolument livre-toi au Père dans une confiance faite d'audace tranquille et candide. Il faut apprendre à te remettre amoureusement et spontanément à Dieu dans un abandon aveugle à sa Providence maternelle. Que ta foi soit sans calcul, ni retour sur toi, dans une attention simple fixée en Dieu, en son amour et en sa miséricorde. Dieu t'accordera de l'aimer pour lui-même, de trouver la joie parfaite dans l'oubli de toi, la conscience de ta pauvreté et de ta faiblesse.

Redeviens un tout petit enfant, pauvre en esprit et totalement dépendant, c'est la seule façon de réaliser la plénitude de la filiation divine. Dieu aime les humbles, c'est à eux surtout qu'il adresse sa révélation : "Je te bénis, Père, d'avoir caché cela aux sages et aux habiles et de l'avoir révélé aux tout petits" (Mt. 11,25). N'oublie jamais ceci : on ne se donne pas l'enfance spirituelle, on la reçoit d'en-haut. Vivre comme un enfant, c'est te disposer sans cesse à naître d'en-haut, à laisser s'épanouir en toi la vie divine.

32. En Marie, tu contemples un être totalement pauvre, mais comblé de toute la richesse de Dieu.

Place-toi devant la Vierge dans l'attitude qu'elle avait à l'Annonciation en face du Tout-Puissant : "Me voici". Elle est là, simplement, sans artifice et sans détour, dans la vérité de son être reçu de Dieu, se laissant faire et aimer par lui. Après Jésus, elle fut la première à entrer dans le Royaume des Béatitudes ; c'est pourquoi elle est modèle et source de grâce pour toi. Ecoute les paroles de Marie, regarde et pénètre ses attitudes profondes. En la contemplant longuement, tu lui deviens semblable : un coeur disponible et pauvre, prêt à être envahi par Dieu.

Quelle ne fut pas la joie de Marie lorsqu'elle se découvrit aimée de Dieu : "Réjouis-toi, comblée de grâce !". Tu es toujours bouleversé lorsqu'un être vient vers toi et te dit : "Je t'aime". Marie ne comprend pas d'abord car elle se découvre dans la vérité comme l'oeuvre de l'amour de Dieu. Relis le Magnificat et tu comprendras l'humilité et la pauvreté de la Vierge. Comme toi, elle a faim et soif de lumière, d'amour et de bonheur, mais elle refuse de se rassasier dans l'éphémère et la vanité. Elle est là, pauvre et les mains vides, devant Dieu qui la comble de son être même. Elle se voit dans le regard de Dieu. En elle, il n'y a pas la moindre complaisance ni retour sur elle-même, son centre de gravité est vraiment en Dieu. C'est le sens même de son titre d'Immaculée Conception.

C'est pourquoi Marie est à l'opposé de la première Eve qui détourne son regard de Dieu et se laisse jouer par Satan. Marie se veut toute dépendante de Dieu et de son amour, elle ne se jette pas comme Eve sur le fruit défendu, c'est pourquoi elle s'interroge sur la promesse de l'ange. Elle veut d'abord se rendre compte et discerner de quel esprit vient la voix qui lui parle.

Elle renouvelle alors le don de son coeur à Dieu. En un sens, elle n'attend pas sa plénitude de femme d'un être mortel, elle se veut toute donnée à son Créateur. C'est là le sens de l'authentique virginité spirituelle : le don de tout l'être à Dieu sans réserve. Elle peut dire avec Isaïe: "Mon époux sera mon Créateur" (Is. 54,5).

C'est pourquoi Dieu peut opérer en elle des merveilles et en faire la Mère de son Fils unique. Marie exerce ainsi sa maternité dans le don même de sa virginité. Une fois qu'elle a reconnu l'appel de Dieu, elle ne fait plus aucune réserve et se livre à lui totalement dans la foi. Elle va plus loin encore en faisant totalement confiance à Dieu dans sa situation présente : "Rien n'est impossible à Dieu" dit-elle. Elle croit à la toute puissance créatrice de sa Parole qui peut engendrer en elle le Verbe. Ainsi, Dieu change la stérilité des pauvres en fécondité d'une richesse inouïe. Dans la prière, demande à Marie cette grâce de la pauvreté totale, pour être comblé de Dieu qui rassasie les affamés et renvoie les riches les mains vides.

Elle est le modèle du don de ton être à Dieu. Tu voudrais bien régler le don de ta personne; tant que tu as prévu des limites, tu es encore trop possesseur de ton offrande. Dieu te demande une disponibilité absolue et t'appelle souvent à livrer ce que tu n'avais pas prévu. Marie ne songeait nullement à devenir la Mère du Promis, mais comme elle était disponible et ouverte, rien ne la surprend dans l'appel de Dieu. C'est alors qu'elle devient Mère du Sauveur. Qui peut dire la fécondité de sa vie toute cachée en Dieu avec le Christ à Nazareth?

Tu peux contempler ainsi la disponibilité de Marie en reprenant le récit de l'Annonciation ou en redisant le Magnificat. Ou alors dis simplement le chapelet en repassant dans ta mémoire les paroles de la Vierge afin qu'elle reproduise en toi ses sentiments profonds. Tu peux aussi t'arrêter sur une parole de l'Ave Maria que tu goûtes plus particulièrement ou contempler le Mystère de la Trinité et le rôle de Marie dans l'économie du salut. Le Rosaire est une très haute forme de prière contemplative où tu apprends à sortir de toi pour t'unir au Christ dans ses mystères et être disponible jusqu'au tréfonds de ton coeur.

33. En Jésus, tu contemples un être de pure relation ; il vient du Pèr et il est ordonné à l'homme. Etre chrétien, c'est être comme le Fils totalememt ouvert au Père et aux autres.

Plus tu avanceras dans la contemplation du mystère de Dieu et plus tu découvriras qu'il n'est pas seulement "logos" mais "dia-logos", c'est-à-dire que, pour Dieu, être, c'est essentiellement sortir de soi et "se" dire dans sa Parole faite chair. L'Evangile de saint Jean que tu dois relire dans cette optique ne fait que traduire le dialogue de Jésus avec le Père et du Père avec Jésus. En découvrant ce dialogue en Dieu, tu es conduit naturellement à contempler en lui un "Je" et un "Tu". **Dieu** est Trinité de Personnes distinctes et relatives les unes aux autres dans un mouvement de réciprocité. Pour nous faire comprendre cela, les théologiens utilisent une expression barbare : ils disent qu'en Dieu les Personnes sont "relations subsistantes" car elles subsistent dans une relation d'amour.

En Dieu, la Personne est relation. Lorsque tu invoques le Père, tu ne peux le séparer de son Fils Jésus : "Le Père est appelé ainsi, non par rapport à lui-même, mais par rapport au Fils; par rapport à lui-même, il est simplement Dieu" (1). En Dieu, il n'y a que substance et relation. Celle-ci étant une forme originelle de l'être.

Quand tu te tournes vers Jésus tu découvres également qu'il est tout orienté vers le Père : "Le Père est en moi et moi dans le Père" (Jn 10,38). L'être de Jésus est totalement ouvert, c'est un être-à-partir-de-l'autre, un être "venant de" et "ordonné à" (J.Ratzinger). Jésus est totalement relation, il sait d'où il est venu et où il va (Jn 8, 14).

Jésus vient du Père de qui il tient tout ce qu'il est. Il se réfère sans cesse au Père qui est sa source originelle. C'est pourquoi il agit pour accomplir la volonté de Celui qui l'a envoyé. Mais il est aussi ordonné à l'homme qu'il veut introduire dans cette source originelle, c'est à dire dans la vie trinitaire : "Moi, je suis venu pour que les brebis aient la vie et l'aient en abondan-

---

(1) ST AUGUSTIN, Enarrationes in psalmos, 68,1,5. PL 36, 845.

ce" (Jn. 10,10). Cette vie que le Fils te communique n'est pas étrangère à ton existence d'homme, elle en est le plein épanouissement dans un mouvement de transcendance. C'est pourquoi être en relation avec Jésus, c'est réaliser ta vocation plénière d'homme, c'est accéder à l'existence authentique. En te créant à son image, la Sainte Trinité a fait de toi un être dialogal : en ton fond, tu es, comme le Christ, tout ouvert à l'Autre, le Père, et ouvert aux autres, tes frères. Tu ne peux réaliser ton être d'homme que dans une relation d'amour et de communion avec la Personne suprême qui fonde ton être.

Si tu es ainsi ouvert au Christ au coeur de ta vie d'homme, tu ne peux obturer ta relation au Père car Jésus est ouvert au Père par le "haut" et aux hommes par le "bas". Tu ne seras pleinement homme qu'à la condition de te relier au Père en Jésus. Si tu négliges cette relation d'adoration filiale, ton existence sera tronquée car la vie de l'homme, c'est de voir et de contempler la face de Dieu.

Dans la prière, laisse-toi identifier au Christ qui est pure relation au Père et aux hommes. Prier, c'est être comme le Fils, c'est devenir fils. Pour cela, ne t'appuie pas sur toi-même, ne te tiens pas en toi, mais sois totalement ouvert dans les deux sens.

Plus tu es personne et plus tu es ordonné à l'autre, à celui qui est véritablement Autre, c'est à dire Dieu. Tu es d'autant plus toi-même que tu es plus près du Tout-Autre, Dieu. De même, le Père t'envoie, comme le Fils, vers tes frères. Tu es tout à fait toi-même le jour où tu cesses de te replier sur toi pour être pure ouverture à Dieu.

"La vie éternelle, c'est qu'ils te connaissent, toi, le seul véritable Dieu ; et ton envoyé Jésus-Christ" (Jn. 17,3).Dans cette parole de Jésus, tu as la réalisation de ta véritable vocation. En te rencontrant, le Christ t'introduit dans la vie éternelle qui est le plein épanouissement de ta vie humaine portée à sa perfection, mais, pour toi, vivre une existence authentique, c'est avant tout, entrer en relation d'amour avec le Père. A l'oraison, tu es invité par le Christ à partager son dialogue d'amitié avec le Père ; c'est ce qui donne à ta vie sa valeur d'éternité.

34. Prie pour découvrir la volonté de Dieu sur toi sans illusions possibles. Ensuite demeure disponible et abandonné entre les mains du Père.

Tu as entendu l'appel à suivre Jésus et tu as accepté clairement l'enjeu de l'amour en le servant dans la pauvreté et l'humilité totales. Comme Paul, tu veux la vraie sagesse : "Je n'ai rien voulu savoir parmi vous, sinon Jésus-Christ et Jésus Christ crucifié" (1 Cor. 2,2). Il est normal que tu ressentes en toi un grand combat entre ce désir d'aimer vraiment le Christ et celui d'accomplir ta propre volonté. Seul l'Esprit Saint peut purifier ton coeur au point de le disposer devant Dieu à accomplir sa volonté.

Dans ta vie, tout revient en définitive à découvrir cette volonté de Dieu et à l'accomplir : "Ce ne sont pas ceux qui disent : Seigneur, Seigneur, qui entreront dans le Royaume, mais ceux qui font la volonté de mon Père". Dans l'absolu, tu désires rejoindre le Christ de plus près dans sa totale pauvreté, mais tu ne sais pas au juste quelle forme particulière de pauvreté le Christ attend de toi. Ce qui est bon et parfait en lui-même ne l'est pas forcément pour toi. Tu attends donc dans la prière assidue que Dieu te révèle ce qui fait en toi obstacle au don total et vrai. L'important n'est pas ce que tu décides d'abandonner pour Dieu mais ce qu'il veut que tu abandonnes pour lui.

C'est là que les illusions peuvent s'infiltrer dans tes meilleures intentions. Il t'arrive de penser que le meilleur pour toi est le plus difficile. Ce qui importe, ce n'est pas qu'un détachement ou une activité te répugne ou te plaise, mais qu'elle exige plus d'amour. Si, après avoir prié longuement, tu envisages cette oeuvre dans la paix et la confiance, comme une volonté de Dieu pour toi, c'est un signe clair que Dieu t'appelle à y répondre généreusement. Sois assuré que si tu pries en vérité et fais confiance au temps qui est un facteur de première importance pour une décision, Dieu te montrera ce qu'il attend de toi.

C'est le moment de te mettre devant l'oeuvre du Saint Esprit en toi. Regarde simplement les dons reçus de Dieu aux différentes étapes de ta vie, les appels entendus à travers les événements et les personnes. Essaie de découvrir la vocation que Dieu dessine en toi et qui doit apparaître comme une ligne de crête. Chaque homme porte en son âme un mystère, son propre mystère, qui est celui de son nom particulier. Toute son angoisse en cette terre est de le nommer. Seul le Christ peut révéler à l'homme le mystère de son nom en son propre Coeur de Fils de Dieu, où il s'éveilla éternellement à l'être, au Coeur du Père.

Regarde en même temps comment tu as été fidèle à ces appels de Dieu. Bien souvent tu as utilisé ses dons pour servir tes vues personnelles, même bonnes en elles-mêmes. La vocation que tu entrevois est-elle un don de Dieu ou une construction qui dépend de toi ? Que d'illusions dans tes désirs de sainteté et tes activités au service des autres !

Attention, ne te livre pas à des analyses psychologiques et encore moins à des considérations rationnelles, mais laisse-toi interpeller au coeur de ton être. C'est toi qui es remis en question par cette volonté de Dieu. D'où la prière intense et prolongée pour te voir avec le regard du Saint Esprit. Redis au Christ ton désir de ne plus faire qu'un avec la volonté de Dieu. Seule la prière peut purifier tes motivations profondes et faire apparaître au grand jour les intentions de ton coeur.

Ne sois pas surpris de faire alors l'expérience de ta grande pauvreté qui te réduit à être malléable et souple entre les mains de Dieu. Tu es un peu de terre au creux de la main de Dieu et tu demandes au souffle de l'Esprit de venir te modeler à l'image du Fils. C'est une situation inconfortable car il ne s'agit plus de décider par toi-même d'éviter telle chose ou d'entreprendre une autre, mais de te laisser purement et simplement faire par Dieu.

Tu t'abandonnes entre les mains de Dieu dans une totale indifférence. C'est la disponibilité fondamentale qui assure la concordance de ta vie d'homme avec le dessein de Dieu. En profondeur, tu acceptes de tout abandonner pour suivre le Christ, mais tu refuses d'en décider par toi-même : Applique ta force à ne vouloir ni ce bien-là, ni un autre, si ne te meut le seul service de Dieu Notre Seigneur. (Cf. Exercices, n° 155).

Avec de tels êtres dépossédés d'eux-mêmes, Dieu peut faire des saints. Pour parvenir à cette disposition qui est difficile, car elle touche aux racines mêmes de ta liberté, il est évident que l'oraison est plus nécessaire que jamais. Le Christ seul peut venir t'apprendre et te donner la force de t'offrir ainsi à Dieu dans le plus grand sacrifice. Il t'a lui-même ouvert la route dans sa Pâque. Redis souvent la prière d'abandon du Père de Foucauld : "Mon Père, je m'abandonne à vous, faites de moi ce qu'il vous plaira. Quoi que vous fassiez de moi, je vous remercie. Je suis prêt à tout, j'accepte tout".

35. Laisse ton coeur se reposer dans la Paix de Dieu et tu verras apparaître sa volonté claire et précise sur toi.

Lorsqu'une eau est trouble, il s'agit de la laisser reposer sous la chaude clarté du soleil pour que les impuretés se déposent au fond et que l'eau pure apparaisse en surface. Il en va de même pour ta vie chrétienne qui se décante peu à peu, dans la prière, sous le regard de Dieu. Si tu es fidèle à vivre sous la lumière de l'Evangile, les intentions profondes de ton coeur se clarifient et tu aperçois l'obstacle à l'action de Dieu en toi. De même, l'Esprit Saint inclinera ton coeur vers telle ou telle forme de pauvreté pour mieux orienter ta vie dans le sens de la volonté de Dieu. Tu apprendras surtout à être là devant Dieu, pour lui seul. Quand tu travailles ou tu te reposes, tu agis trop pour un but. Tu oublies quelle merveille c'est d'être, d'être tout simplement, sans penser à plus. La prière te fait être devant Dieu. Elle te fait

, że zrobił wszystko, by popłynąć jak najszybciej.
inałowym wyścigiem Piotr Albiński ogolił mi ponow-
wę i plecy. Trzeba przyznać, że ma szczęśliwą rękę!

**a 100 m stylem motylkowym nie popłynąłeś tak szyb-
: na 200 m...**
'o prawda, ale skoncentrowałem się na jednym dy-
:. 200 m to moja specjalność. Zastanawiam się teraz,
Atlancie zamiast 100 m motylkiem nie wystartować
) m kraulem.

**ak duże było zainteresowanie mistrzostwami w stoli-
strii?**
Codziennie na trybunach zasiadało ponad tysiąc wi-
. Środki masowego przekazu na bieżąco informowały
vodach. Najwięcej miejsca poświęcano w relacjach
isce Van Almsick. Na pierwszych stronach często go-
Rosjanie: Popow i Pankratow.

**Impreza była bardzo udana dla polskiej ekipy. Chyba
kto spodziewał się takich sukcesów...**
To prawda. Prezes związku trochę zdziwiony przyjmo-
gratulacje od przedstawicieli innych ekip. Było to bar-
miłe. Udało mi się przewidzieć trzy medale. Powiedzia-
że je zdobędziemy, nie wiedziałem tylko kto?

**Rafał Szukała powiedział kiedyś w wywiadzie, że gdy-
eszcze raz miał rozpoczynać karierę, nigdy nie został-
ływakiem. Stwierdził, że to katorżnicza praca. Czy Ty
tak uważasz?**
- Pływanie jest dyscypliną, w której nie można pozwolić
e na chwilę wytchnienia. Trzeba pływać kilka godzin
ennie, by utrzymać formę. Kiedy jednak stanąłem na
ium, czułem się wspaniale. Dla takich chwil warto cięż-
pracować.

a
Tak niewi
Tak niewi
Tak niewi
a
Tak niewi
Tak niewi
Tak niewi
Tak niewi
Tak niew

ref.
a
Wolność
G
Wolnośc
Tak niew
Tak niew
Mogę st

atteindre ce fond du coeur plus profond que tout désir, toute pensée, toute image et toute action. Ainsi, tu es seul avec toi, aux origines de ton être, là où ton âme est sortie des mains de son Créateur. Tu es seul avec l'Absclu, seul de la solitude du Seul.

Vois bien la différence qui existe entre ce choix spirituel accompli dans la lumière de l'Esprit, et les décisions morales que tu prends pour changer ta vie au plan humain. Par exemple, il arrive que tu décides de lutter contre tel défaut, de te livrer davantage à la prière ou d'entreprendre tel acte d'ascèse pour mieux servir Dieu. Tu ne peux négliger ce travail d'amélioration de toi si tu veux devenir un homme libre, mais il a ses limites et surtout il demeure au plan humain. De plus, il peut se faire en dehors de la prière, avec l'aide de quelqu'un qui te connaît bien par exemple. Demande à tes amis ce qu'ils te reprochent et tu comprendras ce qu'il faut changer à ta vie.

Le choix spirituel que tu es invité à réaliser ici se situe au plan de la vie théologale. Il s'agit de découvrir la volonté précise de Dieu sur toi à un moment donné de ta vie pour l'orienter. Tu ne peux donc te fier aux seules lumières de ta raison et aux ressources de ta volonté, tu as besoin d'une révélation supérieure de l'Esprit pour comprendre le dessein d'amour de Dieu à ton égard. La prière continuelle, la contemplation de l'Evangile purifient ton coeur et t'invitent ainsi à livrer à Dieu le fond de ton être.

Au point de départ, il y a la certitude que l'Esprit Saint veut réaliser en toi quelque chose qu'à l'avance il t'est impossible de définir. Habituellement tu viens à la prière avec des problèmes précis pour lesquels tu veux des solutions immédiates obtenues par l'analyse ou la décision. Tu ne peux alors découvrir la volonté de Dieu qui exige une absence de préalable et un oubli de ce que tu es ou de ce que tu fais. Laisse donc tes problèmes à la porte et ouvre-toi à Dieu pour te soumettre à une présence active de l'Esprit qui veut te réaliser. Tu ne fabriques pas ton être mais tu le reçois de Dieu. Alors seulement, tu pourras entendre une volonté personnelle et actuelle de Dieu dans la reconnaissance et l'acceptation de toi-même.

Dans la prière, deviens le lieu de passage de l'Esprit, laissant tomber peu à peu tes défenses et tes sécurités. C'est à partir du point zéro que tu peux retrouver ton être profond et devenir un adulte libre et non un personnage. L'oraison permet cette évolution en te faisant accéder à un autre niveau que celui de tes préoccupations actuelles. Alors il n'y a plus de problème ni de dualité mais une prise en charge personnelle et consciente de ta vie pour la donner au Christ en acceptant, sans illusion, l'enjeu de l'amour.

C'est pourquoi la volonté de Dieu ne prend pas habituellement des allures extraordinaires ou sensationnelles. Dieu travaille dans le tissu même de ton existence, c'est donc au ras de ta vie quotidienne qu'apparaîtra sa volonté. Il te demande surtout d'accepter en toute lucidité ton être d'homme avec ses limites et ses déficiences, à travers quoi il te purifie.

Continue à prier en relevant dans ta vie les appels précis et les désirs que l'Esprit te suggère, c'est toujours à travers tes aspirations profondes qu'il te parle et te fait découvrir la volonté de Dieu. Et puis, essaie de traduire concrètement comment tu veux réaliser ce choix, en le notant au besoin. Il se peut que tu mettes le point final à cette recherche en l'inscrivant dans une parole d'Evangile.

En tous cas, si tu as choisi selon Dieu, tu éprouveras en toi une grande joie. La paix et la joie sont toujours les signes de l'action de Dieu en toi, même si cette joie exige de ta part un sacrifice réel. Un peu à la fois se formera en toi cet esprit de discernement spirituel qui te fera "sentir" la volonté de Dieu dans tous les événements de ta vie.

36. Dieu ne t'abandonne pas aux seules lumières de ta raison lorsqu'il t'appelle à faire un choix spirituel. C'est dans la prière que tu verras se dessiner sa volonté.

Tu es ici au centre de la vie chrétienne, car tout revient finalement, dans ton existence d'homme, à découvrir la volonté de Dieu et à l'accomplir. Mais s'il t'est facile de discerner cette volonté à travers les commandements , tu doutes souvent de pouvoir déceler ce que Dieu attend de toi, en particulier dans ta situation présente. Plus tu avanceras dans la vie chrétienne authentique, et plus tu auras à faire des choix qui relèvent de ta conscience éclairée par l'Esprit et la loi des Béatitudes, sans pouvoir te référer à un code, ni à un maître "qui serait supposé savoir" ou détenir la vérité. Qu'il s'agisse d'un engagment politique, d'un état de vie, d'un approfondissement de ta prière ou de quelqu'autre décision orientant ta vie, tu ne peux faire l'économie d'un choix onéreux qui engage ta liberté et ta fidélité. Cependant ce ne serait pas croire en Dieu et en sa Providence que de le penser capable de t'abandonner à toi-même dans les choix de ta vie.

Si tu veux connaître la volonté de Dieu, la condition sine qua non est de te rendre disponible, c'est à dire, devant un choix à faire, de refuser de préférer telle ou telle option, d'abandonner tout préjugé qui empêcherait Dieu de te faire savoir dans quel sens il veut que tu t'engages. En un mot, tu ne dois avoir aucune idée sur la question et accepter d'entrer dans les vues d'un autre qui déroutent toujours les tiennes.

C'est peut-être la disposition fondamentale pour opérer un choix selon Dieu. Mais tu te poses peut-être une question : comment te rendre disponible si tu ne l'es pas ? Disons qu'il faut t'arrêter, prendre du recul par rapport à toi-même et questionner ton propre jugement. Autant d'attitudes qui se vivent sous le regard de Dieu, dans la prière, pour découvrir les résistances à la volonté de Dieu.

Il se peut que par une telle prière, Dieu te montre clairement ce qu'il attend de toi, mais ce n'est pas son habitude ; il préfère te parler dans les signes. Ne prends pas trop vite tes bonnes intentions pour des volontés de Dieu. Une manière de découvrir cette volonté est d'analyser les données diverses et les composantes du choix, les arguments en un sens ou l'autre que l'on a coutume de détailler avant toute décision. Si tu fais cela sous le regard de Dieu, tu verras les raisons pour ou contre se ranger selon des critères spirituels, par exemple suivre le Christ par le chemin des Béatitudes ; ou bien tu verras apparaître les mobiles humains ou égoïstes car le discernement spirituel se réfère aussi à des critères objectifs: la sagesse de la Croix et des Béatitudes énoncée par le Christ dans l'Evangile. D'une part, les raisons seront claires, fortes, certaines ; d'autre part, sans valeur, inconsistantes, troubles ou douteuses. Dieu ne semble pas avoir répondu directement à ta question, mais il l'a fait réellement en éclairant et en guidant ton intelligence et ton coeur.

Il y a aussi une autre manière de découvrir cette volonté, c'est d'interroger ton affectivité profonde. Si tu es dans la paix durable, et dans la vraie joie, tu peux dire que les projets qui accompagnent tes sentiments intérieurs sont voulus par Dieu car l'Esprit Saint agit toujours dans la joie, la paix et la douceur. Si, au contraire, tu es dans la tristesse, le découragement et l'inquiétude, tu peux supposer que le projet formé est inspiré probablement par la chair ou l'esprit du mal.

En ce domaine, ce qui paraît essentiel, c'est la durée et la qualité du désir. Tu ne peux avoir aucune certitude si tu te fies au sentiment d'un seul instant. Par contre, si, au cours d'une période plus ou moins longue, telle décision est toujours liée à la joie et son contraire à la tristesse, il y a lieu de croire que c'est Dieu qui t'envoie la consolation de l'Esprit, et te suggère d'accomplir l'action correspondante. Et puis il y a enfin l'acte de liberté qui te fait choisir cette décision pour Jésus-Christ. Bien souvent c'est après cette option libre que la paix s'établit en toi. L'expérience de consolation ou de désolation qui suit le choix confirmera ce dernier et t'indiquera clairement si tu es dans la volonté de Dieu.

Peu à peu tu réussiras à accomplir des choix vraiment spirituels, interprétant de façon de plus en plus claire les signes de Dieu, qu'il s'agisse des grandes décisions qui engagent ton existence ou des choix concernant ta vie quotidienne. D'ailleurs cette éducation de ta liberté devra se poursuivre toute ta vie, et plus tu seras fidèle à répondre aux sollicitations de l'Esprit, plus tu découvriras ce qu'il te demande.

Pour conclure cette méditation, tu peux relire en 1 Sam. 3, 1 à 21, l'appel de Dieu à Samuel; tu comprendras comment Dieu parle aux hommes pour leur signifier sa volonté. Samuel vit dans le Temple, il est au service d'Eli et il l'aide dans le culte, mais il n'est pas encore en relation intime avec Yahvé, c'est à dire qu'il n'a pas encore perçu la parole personnelle et originale que Dieu lui adresse : "Samuel ne connaissait pas encore Yahvé et la parole de Yahvé ne lui avait pas encore été révélée" (1 Sam. 3,7). Tu ressembles à Samuel tant que tu n'as pas perçu la volonté personnelle de Dieu sur toi. Comme le jeune homme, tu demandes au grand prêtre Eli ou à des lois écrites ce que tu dois faire.

Mais observe la pédagogie divine. Yahvé commence par appeler trois fois, par son nom, le jeune homme : "Samuel ! Samuel !" C'est bien un appel personnel et une volonté précise qu'il veut lui faire entendre. Contemple aussi la disponibilité de Samuel qui, au moindre appel, se met à la recherche de la volonté de Dieu. Es-tu sensible aux moindres touches de l'Esprit qui te fait signe à travers des événements apparemment banals ?

Et Samuel va trouver le grand prêtre ; celui ci n'a pas pour mission de lui révéler la volonté de Dieu, il ne la connaît pas, mais il le met simplement au contact de la parole de Dieu. Ainsi dans ta vie, tu interroges ton père spirituel qui est un familier de la voix de Dieu et tu lui demandes de t'aider à te brancher sur la parole de Dieu. Seul l'Esprit peut te parler au coeur mais le guide spirituel est là pour t'aider à vérifier l'authenticité de ses appels.

Alors Samuel est prêt à entendre la voix de Dieu car il s'est établi dans une profonde disponibilité, ne voulant plus qu'une chose, au-delà de ses préférences, la volonté de Yahvé. Lorsque tu es appelé à faire un choix selon l'Esprit, répète souvent dans la prière la parole du jeune Samuel : "Parle, Yahvé, car ton serviteur écoute" (1 Sam.3, 9). Alors le Seigneur te révélera ses secrets profonds et comme Samuel, "tu ne laisseras rien tomber à terre de tout ce que Yahvé te dira" (1 Sam. 3,19). Tu commenceras alors à devenir ce vrai spirituel dont parle Paul qui perce les secrets de Dieu parce qu'il est envahi par l'Esprit Saint.

37. Dans le cheminememt de foi de saint Pierre, tu découvres l'itinéraire de ta propre foi.

Rappelle-toi souvent la parole de Clouzot citée plus haut : "Je crois que le vrai péché que j'ai commis quand j'avais quinze ou seize ans, c'est d'avoir voulu être moi-même par moi-même".Ne penses-tu pas que c'est aussi ton vrai péché ? Tu veux monter à l'assaut de Dieu pour le conquérir, alors que son amour te presse de tous côtés jusqu'au moment où il trouve une brèche pour s'engouffrer en toi. Dans l'itinéraire de Pierre, tu liras ta propre expérience à partir de trois scènes vivantes : la confession de foi de Césarée, l'attitude de Pierre durant la Passion et la confession d'amour après la Résurrection.

Relis Matthieu 16, 13-27 et tu verras comment tu es mené comme Pierre par un double esprit : l'Esprit du Christ et l'esprit de la chair ou celui de Satan. Sous l'inspiration du Saint Esprit, Pierre affirme : "Tu es le Christ, le Fils du Dieu vivant". Jésus lui dit clairement que cette révélation lui vient du Père des cieux. A l'origine de cet acte de foi, il y a la force attractive du Père qui agit dans le coeur de Pierre pour lui faire discerner dans les paroles et les gestes de Jésus, le Fils de Dieu. Mais Pierre n'a pas encore le sens plénier de l'acte de foi qu'il profère ; il aura à découvrir dans toute l'épaisseur de sa vie et surtout dans l'épreuve, la profondeur de son adhésion au Christ. Il en va de même pour ta profession de foi. Ce qui est beau dans une consécration à Dieu, ce n'est pas tant le "oui" de la profession que la persévérance à le redire chaque jour dans le concret de la vie.

En effet, dès que le Christ commence à annoncer sa Passion, Pierre a une réaction spontanée qui est loin d'être selon l'Esprit : "Dieu t'en préserve, Seigneur ! Non cela ne t'arrivera pas !". Pierre veut bien reconnaître Jésus comme Seigneur, et le servir dans son Royaume, mais il refuse un Messie souffrant qui accomplit le salut du monde par la Croix. Il reçoit alors les paroles dures et cinglantes du Christ : "Retire-toi de moi, Satan, tu m'es un scandale, car tes pensées ne sont pas celles de Dieu mais des hommes".

Pierre est remis à sa vraie place. Il doit

passer "derrière" le Christ, alors qu'il était prêt à le suivre mais en allant de l'avant. Comme au soir du Jeudi Saint, il a besoin de se laisser laver les pieds par Jésus, c'est à dire d'être aimé le premier. Sans le savoir, Pierre parle comme Satan au désert de la tentation. Il suggère à Jésus de prendre des moyens faciles pour sauver le monde et refuser la Croix. Humblement, Pierre doit entendre avec les autres disciples la consigne du Christ : "Si quelqu'un veut venir à ma suite, qu'il se renie lui-même, qu'il porte sa croix et qu'il me suive".

En entrant dans la Passion (Lc. 22,31-62), Pierre a la mémoire courte et il a déjà oublié les paroles de Jésus. Il veut le suivre jusqu'à la prison et la mort, mais c'est encore une amitié provoquée par la sympathie et l'admiration qui exige d'être purifiée. Puis c'est le triple reniement humiliant de Pierre qui se voit dépassé de tous côtés. A trois reprises, il affirmera ne pas connaître le Christ. En fait, il ne le connaît pas parce qu'il n'a pas encore découvert l'amour infini que Jésus lui porte et qui lui sera infligé dans le pardon. Cet amour, Jésus le répandra dans son coeur au moment où il remettra son Esprit au Père. Dans la prière, mets côte à côte ces deux affirmations de Pierre : "Tu es le Christ, le Fils du Dieu vivant" et : "Je ne connais pas cet homme". Que de fois tu refais l'expérience de Pierre en reniant pratiquement le visage de Jésus.

Et c'est dans le regard du Christ que s'opérera la conversion de Pierre. Son humiliation est alors transformée en amour. La première confession de Pierre était une confession de foi, la seconde sera une confession d'amour : "Simon, m'aimes-tu ?" A la troisième demande de Jésus, Pierre n'y tient plus et exprime ainsi la profondeur et la solidité de son amour pour le Christ : "Seigneur, tu sais tout, tu sais bien que je t'aime". Il n'a plus peur d'affirmer son amour pour le Christ puisqu'il a reconnu en lui la source de l'amour et du pardon.

Quand Pierre était jeune, il mettait sa ceinture lui-même et conduisait sa vie en maître. Devenu vieux, il doit se laisser mener par un autre là où il ne voudrait pas aller. Jadis Pierre parlait déjà sous l'inspiration du Saint Esprit, mais il ne percevait pas toute l'étendue de ses paroles. Le moment est venu où il doit se retourner et s'abandonner entre les mains du Père pour qu'il opère des merveilles à travers sa pauvreté.

Tu veux suivre le Christ jusqu'au bout, mais, laissé à tes propres forces, tu es incapable de le rejoindre et d'entrer dans le mystère de la Croix. Il faut essuyer bien des échecs et connaître l'épreuve du désert pour que tu comprennes l'amour infini du Christ pour toi. Alors cet amour sera répandu dans ton coeur par l'Esprit Saint et tu pourras dire à Jésus avec Pierre : "Seigneur, tu sais bien que je t'aime". Mais avant il faut te laisser faire et aimer par le Christ.

La réalisation du salut

III

38. «Ce n'est plus moi qui vis, mais le Christ qui vit en moi» (Gal. 2, 20).

Il faut que tu prennes bien la dimension du mystère du Christ dans ton existence d'homme. Tu cherches à le rencontrer dans la prière et à l'imiter dans ta vie, tu aspires à le découvrir dans les événements et le visage de tes frères. En un mot, tu veux nouer avec lui des relations personnelles d'amitié pour mieux le connaître, le suivre en portant ta croix et entrer ainsi dans le Royaume des Béatitudes. N'est-ce pas pour cela que tu le contemples tout au long de l'Evangile, non pour connaître son histoire, mais pour le "reconnaître" dans la foi et l'amour. Mais alors Jésus-Christ reste encore quelqu'un d'extérieur à toi, qui t'influence indirectement, mais qui, pardonne-moi l'expression, "n'est pas encore entré dans ta peau d'homme".

On ne lit pas l'Evangile comme le petit livre rouge de Mao. Là il s'agit de connaître la pensée d'un homme pour l'assimiler et la mettre en oeuvre dans la vie et l'histoire du monde, mais Mao demeure toujours un être extérieur à ses lecteurs. Il en va différemment de Jésus-Christ, Fils de Dieu qui, par son Incarnation et sa résurrection, est entré au coeur du monde et de l'homme. Depuis que Jésus a pris corps et qu'il est ressuscité, la face du monde est changée, il vit réellement au milieu de nous, de telle façon qu'on ne peut plus parler de Dieu et de l'homme sans les penser l'un par rapport à l'autre.

Alors ta relation au Christ n'est pas une simple connaissance, ni une imitation extérieure, comme tu admirerais un héros pour reproduire ses paroles et ses gestes. Depuis que tu as été plongé dans la mort glorieuse de Jésus, sa vie s'est infiltrée en toi, et, selon la forte et admirable expression de Paul, tu formes "un même être" avec lui (Rm. 6,5). C'est au plan de ton être profond qu'une transformation radicale s'est opérée à tel point que les liens qui t'unissent au Christ sont plus forts que les liens terrestres. Tu crois et tu vis de Jésus-Christ en son mystère total.

Tu connais avec le Christ une intimité tellement profonde que tu ne fais plus qu'un avec lui. Pour t'aider à approcher cette réalité intraduisible dans les mots humains, les théologiens parlent d'identification ou d'incorporation. Ainsi toute ta vie est un long effort d'amour pour te laisser incorporer à Jésus. Un telle identification s'opère par la puissance du Saint Esprit qui ne cesse de former en toi la "personne" de Jésus.

Tu comprends combien ta prière change lorsque tu as découvert que Jésus-Christ vit en toi (Gal. 2,20), au point qu'il est plus réel à toi-même que tu ne l'es. Il vit non seulement en toi par identification mais aussi par l'assimilation progressive de sa parole et de son Corps. Tu deviens réellement ce que tu manges, dira Augustin.

Dans la prière, descends profond en toi et aussi au coeur du monde pour laisser remonter cet être de fils de Dieu ; tu ne fais qu'un avec lui : pourquoi aller le chercher au dehors comme s'il était extérieur à toi. Etre chrétien, c'est se laisser compromettre de l'intérieur par le Christ, c'est accepter de le laisser penser, vouloir, et aimer en toi. Tu es, comme dit Paul, le "mime" du Christ, en donnant à ce mot son sens fort de :reproduire, ou de : rendre vivant.

Prier, ce n'est rien d'autre que mettre ton existence quotidienne, en ses moindres instants, en prise avec la personne de Jésus pour qu'il actualise en toi son Incarnation rédemptrice. Tu vis sans cesse par lui, avec lui et en lui dans le tissu quotidien de ton existence, en communion avec tous les hommes, tes frères.

Plus tu contemples Jésus et plus tu es transformé en lui à condition de vivre comme il a vécu, dans un don total de toi-même au Père et aux frères. Ce mystère de communion avec Jésus est l'unique source de ta prière, et par lui tu es introduit dans les profondeurs trinitaires. A travers l'humanité de Jésus vivant en toi par l'Esprit-Saint tu accèdes aux profondeurs de Dieu. Efface-toi de plus en plus afin qu'il puisse s'emparer de ton être et communier au Père en toi. Il y a là pour ta prière, un mystère inépuisable qui te plonge dans l'adoration et l'action de grâces.

39. Intégrée dans le Corps du Christ mort et ressuscité, ta vie prend une valeur éternelle.

Jésus n'est pas seulement celui qui t'enseigne la voie du salut, il est aussi celui qui l'accomplit et la réalise dans sa Pâque. Il dira lui-même qu'il est le Chemin, la Vérité et la Vie. Tu n'as pas seulement à le suivre en portant ta croix, c'est-à-dire en réalisant la volonté précise de Dieu sur toi, mais à le laisser revivre en toi sa propre vie. Toutes les décisions que tu peux prendre au sujet de ta vie chrétienne prennent leur sens et leur valeur dans la vie du Christ. Il est le premier à avoir fait de sa vie une offrande au Père. C'est pour cela que tu dois longuement le contempler dans son mystère pascal afin qu'il t'infuse sa vie divine par le don de son Corps glorifié.

Dans les contemplations précédentes, ton esprit et ton coeur ont été soumis à un rude travail auquel tu n'étais pas habitué. Il te fallait recevoir l'enseignement de Notre Seigneur sur le mystère de la Croix et des Béatitudes. Ordinairement tu tires l'Evangile à toi et tu construis une doctrine à partir des paroles du Christ. Ici, tu devais entrer dans la pensée d'un autre pour y conformer ta vie. Il est normal que tu aies ressenti en toi un grand combat en faisant l'expérience des consolations et des désolations, car il n'est pas naturel à l'homme d'entrer dans la sagesse de la Croix. A présent, tu es apaisé car tu as découvert la volonté de Dieu sur toi. Cependant il te reste encore à goûter de l'intérieur les mystères du salut et à supplier le Christ de les revivre en toi.

C'est le moment de vivre dans la prière la Pâque du Christ. Il s'agit de bien prendre les dimensions de l'événement en le voyant non seulement dans sa réalité historique mais aussi dans sa dimension universelle et actuelle. Le Christ mort et ressuscité, est présent à tous les hommes de tous les temps ; il est aussi présent à toute la réalité de l'homme en sa profondeur. Il t'atteint aujourd'hui dans le mémorial de l'Eucharistie. L'Eucharistie est donc au coeur de ta vie chrétienne mais elle ne prend toute sa densité que dans la réalité de la Passion-Résurrection. Si nous pouvons aujourd'hui célébrer la Cène, c'est parce qu'il y a eu le Vendredi Saint et Pâques. Tu ne peux jamais séparer ces volets du triptyque mais dans la prière tu les contemples successivement pour mieux les assimiler et les faire passer du domaine des vérités théoriques à celui des vérités pratiques qui engagent ta liberté.

En abordant ces mystères du salut, l'allure de ta prière change. Tu n'es plus préoccupé de recevoir l'enseignement que le Christ te donne à propos de l'entrée dans le Royaume. Si tu as bien suivi l'itinéraire, ton coeur a été illuminé de la Parole de Dieu et tu as pu découvrir ce qu'il attendait de toi. Il s'agit maintenant de sortir de tes préoccupations immédiates pour contempler uniquement la personne du Christ, non pas dans ses gestes extérieurs, mais dans son attitude existentiale. On pourrait la résumer dans une des paroles mêmes de Jésus : "Il n'est pas de plus grand amour que de donner sa vie pour ses amis" (Jn. 15,13).

Au centre de ta contemplation, il ne doit plus y avoir qu'une seule réalité : l'amour du Christ pour tous les hommes. A la Cène comme à la Croix, il ne peut plus être question que de l'amour de Jésus qui se livre au Père et à toi. Fais-toi pure capacité afin d'accueillir cet amour de Jésus. Ta vie quotidienne est ainsi assumée dans la vie du Christ et prend une dimension éternelle.

Rappelle-toi tout ce qui a été dit de la prière de louange et d'adoration qui est une sortie de toi pour fixer uniquement ton regard sur le Christ. Essaie de disparaître pour contempler l'amour infini de Jésus en lui rendant grâces et en partageant sa coupe. C'est une prière désintéressée où tu exprimes au Christ tout l'amour de ton coeur ou plutôt le peu d'amour que tu éprouves pour lui, car là est le paradoxe d'une telle contemplation :

plus nous essayons de découvrir l'amour du Christ et plus notre coeur est brisé par notre indifférence et notre ingratitude en face du Christ. C'est l'essence même de la prière. Tu découvriras vite que tu es peu attaché au Christ ; tu sentiras ton coeur lourd et épais, incapable de le contempler longuement parce que tu l'aimes peu. Le bienfait d'une telle contemplation est de te faire découvrir expérimentalement combien tu as un coeur dur et sec devant l'amour infini de Jésus qui éclate dans sa Passion.

Si tu éprouves ces sentiments, c'est le signe que ton coeur se "dégrossit" et que tu perçois l'abîme qui te sépare du Christ. Accepte d'être désorienté, pauvre et impuissant devant lui ; surtout fais de cette souffrance une supplication, afin qu'au moment venu il te fasse goûter intérieurement l'amour qu'il te porte. Ta prière doit se simplifier de plus en plus ; lis simplement le récit des événements dans l'Evangile, mais laisse tomber les détails pour te fixer uniquement sur la personne de Jésus. Demande à l'Esprit qui a poussé Jésus à se livrer au Père de te révéler un peu son amour. Il faut des années pour qu'un peu de son amour germe en toi et ne te laisse plus aucun repos. Alors tu aimeras le Christ avec le coeur même dont il t'a aimé.

40. A travers le geste du pain rompu et du vin répandu, découvre l'engagement profond du Christ qui livre son corps et répand son sang pour la multitude.

Tu ne peux rien comprendre à la Cène si tu la sépares de l'agonie; ce sont deux scènes complémentaires liées au thème de la "coupe" : dans la première, la coupe est offerte lors d'un repas, dans l'autre, elle est vécue par le Christ au moment où il demande au Père : "Eloigne de moi cette coupe" (Mc. 14,36). Dans la prière, essaie de lire l'événement, non seulement au plan des signes mais au niveau du Coeur du Christ.

Sans parler de la conscience surnaturelle qu'il a de sa mission, mais avec sa simple intelligence d'homme, Jésus se rend bien compte qu'il marche vers la mort. Sa montée à Jérusalem est ponctuée par les annonces de sa mort suscitée par le refus du peuple et des autorités. L'Israël officiel va l'arrêter, un des siens le trahira et le plus croyant va le renier. C'est dans ce contexte de mort que le Christ s'attable avec les siens pour la dernière Cène.

Relis en Marc (14,22-25) l'événement. Jésus accomplit un geste prophétique : le pain donné et le vin versé annoncent qu'il va se livrer pour les siens dans la mort. C'est le geste prophétique dans la grande tradition d'Isaïe (cf. l'épisode de la cruche brisée), de Jérémie et d'Osée. Il enseigne de manière gestuelle, pour mettre en relief l'efficacité de l'acte qu'il pose. Son corps sera vidé de son sang. Les paroles de Jésus confirmeront son geste et les apôtres comprendront bien le sens de ce que dit Jésus. En parlant du sang de l'Alliance, il évoque Exode 24,8 : un rite qui crée le peuple et l'unit à Yahvé. Le sacrifice de Jésus opérera la nouvelle Alliance en son sang qui sera versé "pour tous". Jésus fait allusion ici à Isaïe 53,12 où personne n'est exclu du salut (cf. Mc. 10,45, autre allusion au Serviteur souffrant qui offre sa vie pour expier le péché du peuple). Jésus envisage son sacrifice dans la ligne du Sacrifice expiatoire du Serviteur souffrant. Par la double allusion au sacrifice de l'Alliance et au sacrifice expiatoire, Jésus nous livre le sens de son sacrifice. Il obtiendra le pardon des péchés et créera un peuple nouveau qui vivra dans l'intimité de Dieu dans le mystère des noces éternelles.

Quand tu communies, ton péché est expié et tu vis avec le Père en une union d'amitié incomparable. L'Eucharistie, c'est le sommet de l'union à Dieu, c'est l'expression la plus forte des épousailles de Dieu avec son peuple. Mais c'est encore une union qui se vit en signe ; la réalité sera infiniment plus riche, c'est pourquoi l'Euchristie est orientée vers la Parousie où nous connaîtrons l'union totale et définitive avec Dieu. Prends bien la dimension de la Cène en contemplant dans la prière l'intention profonde de Jésus. L'événement matériel de l'offrande du pain et du vin est le signe d'une réalité mystérieuse qui ne peut être saisie et comprise qu'au niveau du coeur du Christ ; c'est un mystère d'amour. L'Eucharistie, c'est la réaction de Jésus devant la mort qui vient. Il a tout fait pour éviter cet assassinat afin qu'Israël ne soit pas condamné pour un crime (cf. l'épisode des vignerons homicides). Mais Jésus ne va pas subir l'événement de l'extérieur : il va transsubstantier sa mort et en faire un acte d'amour.

Contemple longuement ces paroles de Jésus: "Je donne ma vie pour la reprendre. On ne me l'ôte pas ; je la donne de moi-même" (Jn. 10;17-18). Jésus donne lui-même un sens à sa mort : d'un crime pour ses ennemis, Jésus la transfome en un acte d'amour libre : "Il n'est pas de plus grand amour que de donner sa vie pour ses amis" (Jn.15,13).Tu peux aussi contempler l'événement profond de la Cène en priant lentement les chapitres 13 à 17 de S.Jean.

Choisis une soirée où tu es libre, où tu as plusieurs heures devant toi, et dans le silence relis ces chapitres du testament de Jésus. Unis-toi aux paroles de la prière sacerdotale, et écoute-les comme si le Christ te les redisait au coeur. Ne cherche pas à tout lire, mais à goûter telle ou telle parole. C'est une forme de prière qui convient bien à la nuit du Jeudi-Saint.

Tu découvres ici la signification ultime de la Passion : ce n'est pas un acte destiné à apaiser la colère du Père, car Dieu ne veut pas la souffrance. La volonté du Père, c'est l'acte d'amour du Christ qui se livre à lui totalement (Heb. 9,11-14). C'est la conscience de sa mission qui conduit Jésus à s'offrir au Père dans l'amour. Il a tout fait pour son peuple ; malheureusement celui-ci l'a rejeté.

Jésus n'a plus qu'une chose à faire : prendre sa vie et l'offrir dans un acte de confiance. On pourrait croire que cette oblation se déroule dans la paix et la sérénité ; la scène de Gethsémani te rappellera tout à l'heure l'angoisse tragique de cette offrande. Tu ne peux rien comprendre à la Cène et à l'Eucharistie si tu ne contemples pas longuement, devant le Saint Sacrement, ce mouvement d'amour qui pousse Jésus à se livrer au Père pour le salut de ses frères. Alors tu pourras entrer dans cet engagement du Christ, mais l'amour qui te poussera à t'offrir viendra de plus loin et de plus haut que toi ; ce sera une participation à son élan de charité. Il ne faut pas vouloir produire les fruits de l'amour avant d'avoir planté l'arbre de la Croix au centre de ton coeur.

41. Il ne suffit pas de faire les gestes de l'Eucharistie, encore faut-il que tu entres dans l'engagement du Christ en livrant ta vie.

A la Cène, il y a encore un geste capital : "Prenez et mangez-en tous ... buvez-en tous". En t'invitant à manger son Corps et à boire son Sang, Jésus te compromet dans son sacrifice. Il t'invite à entrer avec lui et en lui dans l'offrande qu'il fait de sa vie au Père. C'est le sens même des paroles de Jésus que tu as priées plus haut : "Si quelqu'un veut venir à ma suite, qu'il prenne sa croix et qu'il me suive". C'est aussi le sens de la demande de Jésus aux fils de Zébédée : "Pouvez-vous boire ma coupe ?". Si tu acceptes de partager sa coupe, tu dois aller jusqu'au bout du don de toi-même comme Jésus : "Jésus, sachant que son heure était venue de passer de ce monde au Père, ayant aimé les siens qui étaient dans le monde, les aima jusqu'à la fin" (Jn. 13,1).

Après avoir contemplé la Cène, il faut découvrir le sens de tes eucharisties quotidiennes. Tu ne peux manger ce pain et boire à cette coupe sans vouloir communier de toutes tes forces au sacrifice de Jésus. On peut se demander si des années de vie liturgique avec toutes les réformes que tu as connues ne t'ont pas fait perdre le fruit spirituel de l'Eucharistie : le don du Christ sous la forme de sa parole et de son Corps.

Ce qui constitue le sacrifice de l'Alliance, c'est le Seigneur Jésus, car le repas de l'Eucharistie est celui d'un corps livré et d'un sang versé. Il ne te suffit pas de participer à l'Eucharistie en posant les gestes, encore faut-il que tu entres dans cet engagement de Jésus qui livre sa vie au Père en aimant les siens jusqu'à la fin, sinon tu vis le signe et non la réalité.

As-tu déjà pris conscience de ce don que te fait le Christ de son Corps glorifié ? C'est toute la force de son amour qui te saisit au plus intime de ton être. Il te donne sa vie, et par là te fait participer au dialogue d'amour qui l'unit au Père. Jésus le dira clairement dans le discours sur le pain de vie : "De même qu'envoyé par le Père qui est vivant, moi, je vis par le Père, de même celui qui me mange vivra, lui aussi, par moi" (Jn. 6,57).

Mais il y a plus encore : c'est la manière dont le Christ te rencontre, et te fait don de son Corps. Il ne vient pas en toi d'une manière statique. Il vient pour renouveler en toi son Incarnation rédemptrice et pour reproduire en toi ce mouvement qui le conduit à son Père en lui ramenant l'humanité devenue son Corps. Dans l'Eucharistie l'unité du Corps se réalise et devient en Jésus une offrande au Père. Au cours de cette contemplation, tu dois demander à l'Esprit Saint (c'est le sens de la seconde épiclèse) de t'assimiler au sacrifice de Jésus en t'apprenant à livrer ta vie au Père : "Que l'Esprit Saint fasse de nous une éternelle offrande à la louange de ta gloire" (3e anaphore).

Jésus t'apprend ainsi à te livrer, non seulement à la messe mais dans le détail du quotidien, par un abandon total au Père dans tous les événements de ta vie. L'Eucharistie est l'acte suprême de la charité de Jésus qui transforme ton coeur pour faire de ton existence un acte d'amour du Père et des frères. Relis ce que sainte Thérèse Couderc dit à propos de : "se livrer" (Voir Annexe III).

Dans l'Eucharistie, ta vie devient le véritable sacrifice spirituel dont parle Paul : "Je vous exhorte donc, frères, par la miséricorde de Dieu, à offrir vos personnes en hostie vivante, sainte, agréable à Dieu ; c'est là le culte spirituel que vous avez à rendre" (Rm. 12,1). Ta vie prend une dimension éternelle lorsqu'elle est offerte au Père avec celle du Christ. La moindre de tes actions, si elle exprime vraiment ton amour du Père et des autres, est une prière de louange, d'adoration, et d'intercession ; c'est un sacrifice spirituel. Mais sache aussi qu'on ne fait pas de l'éternel avec de l'insignifiant ; pour que ta vie devienne prière, il faut donc qu'elle soit authentique et qu'elle exprime le don réel de toi aux autres.

Toute ta vie devient alors une prière. La prière du Christ, c'était l'offrande de sa vie dans le sacrifice de la Croix. Le Christ priait partout et toujours, car, en accomplissant la volonté du Père, il ne faisait que manifester parmi les hommes son dialogue incessant et secret avec son Père. Tu es assuré qu'elle est accueillie par celui qui a glorifié son Fils ; en un mot, elle t'unit intimement au mystère de la Trinité. Dans l'Eucharistie, tu l'offres d'une manière globale, et dans le concret de ta vie tu la donnes goutte à goutte dans l'accomplissement de la volonté du Père. Sois vrai dans l'offrande et ne fais pas de rapine sur l'holocauste.

42. «Mon âme est triste à en mourir ; demeurez ici et veillez» (Mc. 14,34).

Le drame de Gethsémani a toujours exercé

sur les saints une profonde attirance, ils ne pouvaient s'arracher à cette contemplation. Si tu aimes tant soit peu le Christ, tu ne peux rester insensible en songeant à cette nuit où il suait d'angoisse à l'idée de ce qui allait se passer. D'autant plus que tu es impliqué par ton péché dans l'agonie et la mort de Jésus ; c'est à cause de toi et de tous tes frères que son âme a connu l'angoisse et la tristesse jusqu'à en mourir. Tu comprends d'autant mieux l'agonie que tu as souvent vécu quelque chose de ce genre. C'est dans les moments d'épreuve où tu souffres et pleures que tu souhaites la présence de tes amis. Oui, Jésus a expérimenté à l'agonie l'effroyable solitude de l'amour méconnu.

Laisse profondément résonner en toi les paroles qu'il adresse à plusieurs reprises à ses apôtres, en entrant à Gethsémani : "Demeurez ici et veillez". C'est un appel à demeurer longuement avec Jésus, plongeant ton regard silencieux sur lui tel qu'il t'apparaît à travers cette scène, comme dit Paul : "les yeux fixés sur le chef de notre foi, Jésus" (Heb. 12,2). Mais précisément, à ce moment même où tu voudrais prier tu en éprouves comme une impossibilité. Comme les apôtres, amis de Jésus, tu es écrasé de fatigue et tu dors.

Il ne s'agit pas seulement d'une fatigue physique, une impossibilité à fixer ton attention, ce qui serait bien normal si tu as prié longtemps, mais la difficulté de prier alors ne vient pas seulement de ta lassitude ; elle est plus profonde et s'enracine dans ton égoïsme foncier. Je pense qu'il est normal d'éprouver un profond malaise devant l'agonie ; comme dit le P.Loew, c'est un domaine où tu ne peux pas pénétrer : "Restez ici, dit Jésus, tandis que je m'en vais prier là bas" (Mt. 26,36). Entre cet "ici" où tu veux demeurer pour prier, et ce "là-bas" où se rend Jésus, il y a un abîme insondable, incommensurable" (1)

Tu comprends pourquoi tu as de la difficulté à prier parce que tu ne peux pas franchir cet abîme. Et cependant, tu es appelé à contempler Jésus dans son désarroi et son angoisse ; nous essaierons d'approcher cette scène ensuite, mais tu resteras toujours sur le seuil car il n'y a aucun partage possible. La cause de ton malaise vient de ce que tu découvres la dureté de ton coeur de pécheur. Tu es réduit à l'impuissance du sommeil car tu es faible, appesanti et endormi dans ton péché. Tu ressembles aux apôtres qui dorment, eux aussi, du sommeil de l'inconscience. Mais en face de toi se tient le Christ, le grand vivant, qui entre tout éveillé dans le mystère de sa mort. Au fond, tu souffres d'aimer si peu Jésus qui t'a manifesté un amour infini. C'est son agonie, il est seul, alors qu'il souhaite à ses côtés une présence amicale et réconfortante.

Sache cependant que ta souffrance est bonne car elle te situe dans la vérité de ton être ; elle est un appel en creux à l'Esprit Saint pour qu'un jour il te fasse goûter le mystère. Tu seras alors récompensé de tes années de sécheresse et d'aridité devant la Passion. Il t'est simplement demandé de demeurer là dans un profond silence pour être et demeurer avec Jésus et pour lui. A l'agonie, il y a un mystère que tu ne peux pas partager ni comprendre, tu peux à peine le soupçonner. C'est pourquoi tu dois persévérer à veiller dans la prière.

---

(1) J.LOEW, Ce Jésus qu'on appelle Christ. Fayard 1970, pp.236-237

Ne cherche pas à comprendre l'angoisse et la tristesse de Jésus, elle est celle du Verbe incarné, du Serviteur souffrant, de l'Agneau qui est écrasé par le péché du monde. Mais simplement reste là à ses côtés, tout éveillé en ta foi et en ton amour. Lorsque tu rencontres un ami qui souffre, tu ne commences pas à faire de longs discours pour chercher et expliquer le sens de sa souffrance, mais tu es là près de lui en silence essayant de partager dans l'amour ce qu'il vit.

Agis de même au jardin de Gethsémani. Sors de toi et de tes préoccupations pour ne penser qu'au Christ et à sa tristesse. Une telle prière gratuite, dépouillée et désintéressée authentifie le choix que tu as fait de le suivre. C'est une prière difficile car elle requiert un silence profond et une grande unité d'atmosphère, C'est le Christ seul qui doit occuper tout le champ de vision de ta conscience. Alors relis doucement la scène et laisse chaque phrase et chaque mot tomber dans ton coeur tout au long de la journée. Si tu acceptes de durer longtemps dans cette prière, le Christ t'envahira de sa présence et son visage douloureux et radieux exercera sur toi un attrait capable de t'arracher à la misère de ton péché.

43. «Etant allé un peu plus loin, il se prosterna contre terre et il priait...» (Mc. 14,35).

A l'agonie, tu ne peux suivre Jésus que de loin, comment peux-tu comprendre ce mystérieux dialogue de Jésus avec son Père : "Il se prosterna et il priait". A la Cène, Jésus affronte sa mort avec sérénité ; à Gethsémani, c'est la réalité de la "coupe" que Jésus accepte de boire dans l'angoisse. Le récit de l'agonie pose la question de l'humanité de Jésus car il n'y a aucune scène de l'Evangile où Jésus quitte son comportement de maîtrise seigneuriale pour être au bord du désespoir. Jésus demeure un homme, c'est-à-dire une conscience libre qui connaît l'angoisse devant le choix de l'avenir. L'homme ne sait jamais ce qui lui arrivera demain, sinon il ne serait plus libre; sans cesse il est replacé devant des choix à faire et c'est lui qui construit ou détruit son existence. Dans le combat de l'agonie, tu découvres Jésus choisir librement la volonté du Père.

L'ardeur de sa prière est signifiée par sa position : il se prosterne contre terre. Puis tu es invité à contempler son dialogue avec le Père. Tu as une double prière du Christ qui a le même objet. La première est en style indirect : "Et il priait pour que, s'il était possible, cette heure passât loin de lui" (14,35). La seconde est plus abrupte, en style direct : "Abba (Père) ! Tout t'est possible ; éloigne de moi cette coupe ; cependant, pas ce que je veux, mais ce que tu veux" (14,36). Comment expliquer ce doublet ? Le P.Georges pense que la première prière (14,35) a choqué la primitive Eglise. On ne comprend pas pourquoi le Christ revient sur ce qu'il a donné une fois pour toutes à la Cène et on donne alors une phrase plus rassurante.

Mais la donnée la plus primitive est sûrement le verset 36. La suite du texte montre que le Christ a repris longuement cette prière, sûrement durant plusieurs heures (Mc. 14,39-41). C'est là que tu pressens vraiment le mystère de l'agonie. Dans la situation où se trouve Jésus tout n'est pas réglé d'avance par un vouloir immuable puisqu'il dit au Père : "Tout t'est possible". Il y a donc place pour le jeu de deux libertés qui peuvent accepter ou refuser.

Tu es en plein débat tragique entre l'acceptation et le refus : "Eloigne de moi cette coupe ; cependant pas ce que je veux, mais ce que tu veux". C'est la seule fois que Jésus affirme que son mouvement spontané va à l'encontre de la volonté du Père. Jésus ne sort pas de la condition humaine tragique ; il n'est pas lié par une volonté qui s'imposerait à lui de l'extérieur. La vie du Christ n'est pas celle d'un robot où tout est programmé d'avance. Il est déchiré et il doit choisir entre lui et le Père ; la victoire n'est pas réglée d'avance et Jésus envisage que cette coupe soit écartée.

Tu penses souvent que Jésus a agi avec une apparence d'homme, mais qu'en fin de compte, la victoire était acquise. Pour comprendre ce combat, tu peux te référer à ton expérience personnelle où tu connais ce débat tragique entre ta volonté et celle de Dieu. Un tel combat peut durer des heures, surtout s'il porte sur les options fondamentales de ta vie. Il faut dépasser les romans simplistes où une telle décision se prend en une seule fois, sans reprise ni combat. Mais au coeur de ce débat, Jésus continue à dire : "Père !" ; tout en étant écartelé par la vision de la coupe, il se remet avec une confiance filiale et un tendre abandon entre les mains du Père.

C'est dans cette scène qu'éclate le mieux l'amour du Christ pour son Père, un amour qui consent à abdiquer sa volonté propre pour épouser celle de l'autre. A l'agonie, Jésus se réfère toujours à la volonté du Père et au souci des siens. C'est dans cette contemplation de l'amour du Père et des hommes qu'il a trouvé la force d'accepter et d'aller jusqu'au bout. L'Evangile est discret sur la réponse de Jésus, il ne dit pas qu'il a accepté, mais au terme d'un combat tragique il a fait sienne la volonté du Père qui le brisait et il est là debout, revêtu d'une dignité seigneuriale, pour attendre Judas et la cohorte des soldats qui viennent l'arrêter. Désormais, tu ne trouveras plus en Jésus aucune hésitation sur sa décision. Sa volonté est d'aller jusqu'au bout ; ce sera sa dernière parole sur la Croix : "Tout est consommé".

Ce combat est précieux pour toi. Quand tu traverses la tentation ou l'épreuve, ou que tu vas affronter la mort, tu as parfois l'impression que Dieu en demande trop. Depuis Gethsémani, quelle que soit ta détresse ou ton épreuve, tu sais qu'un homme de la même nature que toi l'a connue, éprouvée et traversée jusqu'à en mourir. Demande-lui, dans une prière instante, de venir revivre en toi ce combat jusqu'à la victoire.

44. Contemple le visage du Christ transfiguré à travers « l'exode en Jérusalem », tu goûteras la Gloire du Ressuscité.

Plus tu es invité à suivre le Christ dans sa Pâque, par un total dépouillement de toi-même, et plus tu dois le contempler dans sa Gloire. Le Christ ne veut pas la mort pour elle-même, il la traverse comme une expression éclatante de son amour qui donne naissance à une vie de Ressuscité. Si tu es appelé à mourir à toi-même, c'est pour participer à la vie nouvelle de Jésus glorifié. C'est pourquoi, avant d'entrer dans le mystère du salut, il est bon de contempler Jésus dans sa Transfiguration. Il te donne là un avant-goût de sa gloire pascale au coeur même de ta vie d'homme. Si tu ne goûtes pas dans la prière la gloire de Pâques, ta vie chrétienne demeurera âpre et tendue.

Pour t'aider à contempler cette scène de la Transfiguration, tu peux la relire lentement en Luc 9,28-36, en t'arrêtant après chaque phrase pour laisser tomber un à un les mots dans ton coeur. Aie sous les yeux une belle icône du Christ transfiguré, telle qu'on en trouve dans l'iconographie orientale. Mais à travers tout cela, fixe ton regard intérieur sur la personne de Jésus irradiée de la gloire du Père. Que l'Esprit Saint te donne ces yeux illuminés du coeur qui te permettront de contempler le visage du Christ. Il faut que se déchire le voile des mots et des images pour atteindre le coeur de la réalité. C'est la grâce à demander sans cesse dans une prière intense : c'est au moment où le Christ prie que son visage se transfigure. Il vit avec le Père une relation d'amour tellement intense qu'elle éclate au grand jour et illumine son visage, un peu comme lorsque tu pâlis lorsque tu es bouleversé intérieurement. On pourrait reprendre ici le mot d'Augustin : "Donne-moi un coeur qui a vu et qui aime et il comprendra ce que je dis".

L'Evangile nous dit que son visage apparut tout autre. Tu sais bien que le visage dévoile le coeur ; il révèle l'intériorité d'un être. Avec les yeux de ton coeur contemple ce visage, mais à travers le visage rencontre le coeur du Christ. Le visage de Jésus exprime et révèle la tendresse infinie de son coeur. Quand tu éprouves une grande joie, ton visage s'illumine et reflète ton bonheur. C'est un peu ce qui s'est passé pour Jésus à la Transfiguration.

Si tu scrutes le coeur du Christ dans la prière, tu découvriras que la vie divine, le feu du buisson ardent, était enfoui au fond de l'être même de Jésus. Par son Incarnation, il a "humanisé" la vie divine pour te la communiquer sans qu'elle te détruise, car nul ne peut voir Dieu sans mourir. A la Transfiguration, cette vie éclate au grand jour d'une manière fugitive et irradie le visage et les vêtements de Jésus. C'est la Gloire de Dieu que tu contemples sur le visage du Christ.

A la Transfiguration, tout le poids de la Gloire de Yahvé, c'est-à-dire l'intensité de sa vie, rayonne de Jésus. Les figures de Moïse et d'Elie convergent vers lui. Il n'y a pas à s'y tromper : l'être même du Christ rend présent le Dieu trois fois Saint du buisson ardent et le Dieu intime et tout proche de l'Horeb. Cependant il faut prendre toute la dimension de la Gloire de Jésus qui éclate d'une manière mystérieuse dans son exode à Jérusalem, c'est-à-dire dans sa Passion. C'est au coeur même de sa mort glorieuse que Jésus libère cette intensité de vie divine enfouie en lui.

Ne t'arrête pas seulement à la mort du Christ, mais descends plus profond pour découvrir l'acte d'obéissance amoureuse de Jésus à son Père; tu comprendras pourquoi celui-ci le consacre et le vivifie par sa sainteté. En mourant sur la Croix, Jésus réalise l'acte d'amour parfait en livrant sa vie au Père ; c'est pourquoi le Père le glorifie. L'Esprit qui pousse Jésus à se livrer totalement entre les mains du Père le pénètre et le transfigure tout entier au point qu'il éclate d'une manière inchoative sur la face de Jésus à la Transfiguration. En accueillant le sacrifice d'amour de son

Fils, le Père lui accorde le sceau de son témoignage suprême : "Celui-ci est mon Fils bien-aimé, écoutez-le".

Aussi, la contemplation de la Transfiguration te fait pénétrer au coeur du mystère trinitaire dont la nuée est le symbole le plus éclatant. Tu participes au baiser d'amour que le Père donne à son Fils si tu acceptes en Jésus de livrer ta vie au Père par amour. Tout se tient, tu ne peux pas séparer la Croix de la Gloire. Continue à contempler la Gloire de Jésus transfiguré, en communiant à son exode à Jérusalem : " Et nous tous qui, le visage découvert, réfléchissons, comme en un miroir, la Gloire du Seigneur, nous sommes transformés en cette même image, toujours plus glorieuse, comme il convient à l'action du Seigneur qui est Esprit" (2 Co. 3,18).

45. Uni à la création tout entière, tu souffres avec le Christ pour être glorifié avec lui.

L'agonie et la Croix ne sont pas des événements clos et pétrifiés. Pascal disait déjà:"Jésus est en agonie jusqu'à la fin du monde, il ne faut pas le laisser seul". Oui, le Christ revit sa Passion glorieuse à travers tous les membres de l'humanité. Tant qu'un homme souffrira, en quelque lieu que ce soit, l'agonie de Jésus fera revivre la Croix pour que s'accomplisse la Rédemption. Tu n'es pas seul quand tu accompagnes Jésus à Gethsémani et au Calvaire, tu communies à tout l'univers et à tous tes frères. Ta souffrance n'est pas ressentie d'abord comme une souffrance individuelle, c'est la communion à une immense souffrance, immense dans l'espace et le temps. C'est celle de toute l'humanité, et plus encore, c'est celle de tout l'univers animé et inanimé.

La création tout entière pousse un gémissement car elle a été assujettie au péché et à la vanité. Comme dit Kafka : "Il y a quelque chose de cassé dans l'univers". Si tu ne vis pas comme un irresponsable, ou un dilettante, si tu es vraiment présent par amour au coeur du monde, tu ne peux rester étranger à cette humanité en travail. De partout monte une plainte mystérieuse des choses qui ne sont pas ce qu'elles devraient être, souffrance plus aiguë, parce que consciente, de l'homme insatisfait de sa condition. Ta foi ne te rend pas invulnérable, insensible, au contraire : "La création gémit, dit Paul, et non pas elle seule, nous aussi, nous gémissons en nous-mêmes".

Oui, l'expérience chrétienne comporte un élément douloureux, elle est communion à l'angoisse de la condition humaine. Et cet élément n'est pas superficiel, il est en toi-même : "Nous gémissons en nous-mêmes". Avec tous tes frères, tu t'interroges, tu te débats et souvent tu fais l'expérience de la mort. A l'oraison, laisse monter cette longue plainte, rappelle-toi ces visages et ces situations où l'homme agonise et meurt. Au coeur du monde, tu retrouves vraiment la Croix de Jésus.

Dans la prière, tu supplies le Christ en agonie d'assumer cette immense souffrance. Avec lui tu offres au Père et célèbres la véritable eucharistie, tu es concélébrant de l'agonie et du Calvaire. Mais sache aussi qu'en souffrant avec le Christ, tu es glorifié avec lui. Ta vie chrétienne est une expérience de souffrance et de gloire, une expérience pascale car tu es cohéritier du Christ.

Paul dira qu'il n'y a aucune proportion entre la souffrance et la gloire (Rm. 8,18). Tu as la certitude que les souffrances du temps présent ne sont pas à comparer avec la gloire future. Ce ne sont pas deux réalités autonomes à mettre sur le même plan. Il n'y a pas de proportion, pas de comparaison. La relation est plus intérieure et plus vitale car c'est au coeur de la mort que naît la vie. Ne dis pas que le gémissement dont parle Paul est joyeux, ce serait une contradiction ; dis plutôt qu'il est exaltant, tout soulevé déjà par la victoire qu'il prépare.

C'est qu'il y a, en effet, gémissement et gémissement, souffrance et souffrance. Il y a le gémissement de l'homme écrasé, accablé, vaincu, le gémissement de l'agonie. Et il y a le gémissement encore plus douloureux, mais annonciateur de vie, le gémissement de la femme qui enfante. Tu as la certitude que ta souffrance unie à la souffrance du monde est, non celle d'une agonie mais d'une parturition, comme dit Claudel. Tu as la certitude que ta propre souffrance, ton gémissement est le signe de la vie qui monte, de la vie qui vient. Tu es fils de Dieu par la foi et le baptême, fils de Dieu par l'inhabitation de l'Esprit, réellement présent, certes, mais d'une manière indicative et germinale.

Tu enfantes chaque jour ton être de fils de Dieu. Ton corps lui-même, tes puissances vitales qui te relient à l'humanité et au cosmos doivent encore participer à cette filiation : "Ce que nous serons n'a pas encore été manifesté. Nous savons que nous le verrons tel qu'il est" (1 Jn. 3,2). L'Esprit de Dieu doit encore envahir toutes les zones de ton être de baptisé et le monde entier. Le salut total, en plénitude, est à venir. Tu es tendu vers cet homme nouveau que tu enfantes chaque jour dans la douleur. Ton gémissement est analogue à celui du Christ à l'agonie et à la Croix, livrant son corps à la souffrance avec angoisse, mais c'est une souffrance exaltante qui porte en germe la victoire de la résurrection.

46. Au coeur de ta foi et de ta prière, il y a l'expérience du Christ ressuscité te communiquant sa vie et sa joie.

Tu n'as pas connu le Christ selon la chair mais tu peux le reconnaître aujourd'hui dans la puissance de son Esprit. Comme dit Jean au début de sa première épître, tu peux l'entendre, le voir, le contempler et le toucher dans la foi. En le rencontrant, tu goûteras la joie et la paix de Pâques. Dans un grand silence intérieur, tout habité par l'Esprit, qui te fait expérimenter la présence du Christ glorieux, relis les récits de la Résurrection. Ta foi de croyant repose sur le témoignage des apôtres, transmis aujourd'hui par la prédication de l'Eglise.

D'abord, sois convaincu de la présence actuelle du Ressuscité. Il est vivant, c'est-à-dire que la gloire de Dieu a pénétré tout son être et il ne peut plus mourir. Avant sa mort, le corps de Jésus était limité par l'opacité de sa chair ; désormais il s'exprime par un corps que Paul qualifie de "spirituel". Le Christ ressuscité devient un pur trait d'union, dit le P.X.Léon-Dufour. C'est pourquoi il se montre simultanément à des endroits éloignés et dans le même temps pour faire comprendre aux disciples qu'il abolit les limites de l'espace et du temps.

Le Christ ressuscité est présent à tous les hommes de tous les temps. Tu peux donc nouer avec lui des relations personnelles. Tu te connais et tu te sens en relation avec le Christ vivant comme avec quelqu'un d'autre que toi, duquel tu dépends entièrement, sans lequel vivre n'est plus vivre, avec lequel tout devient amour. Le Christ ressuscité te pénètre de son regard et il épuise aussi tous ceux qui t'entourent et que tu aimes. Ainsi il est en relation particulière et exclusive avec tous les hommes. Si tu omets cette présence universelle de Jésus, tu le mutiles.

Mais cette présence universelle du Christ ressuscité est aussi ce qui te permet de rejoindre les autres par le dedans d'eux-mêmes, de leur faire comprendre ce que tes paroles sont incapables de leur dire. Tu peux agir sur eux et les aimer avec tout l'amour de ton coeur, alors que dans les contacts personnels, l'opacité de ton corps empêche la vraie communion : "Le Christ nous relie et nous manifeste les uns aux autres", dit Teilhard de Chardin. En lui, tu retrouves tout homme et toutes choses, pour leur communiquer le meilleur de toi-même. Toute la création ainsi illuminée par la présence du Ressuscité reprend son mouvement vers le Père, devient signe de la présence de Dieu.

Mais tu ne peux faire cette découverte que dans la mesure où ton regard est illuminé par la foi. Dans toutes les apparitions du Ressuscité, on commence par douter. Les apôtres voient Jésus et ne le reconnaissent pas. Il y a comme un voile charnel qui les empêche de voir. C'est le cas des disciples d'Emmaüs : le Christ n'a pas changé d'aspect, mais il n'est pas reconnaissable. A cause du Vendredi-Saint, les apôtres ne peuvent pas comprendre que le Christ soit là. C'est alors que Jésus prend lui-même l'initiative de la rencontre; il ne vient pas mais il se donne à voir. Il apparaît et se tient soudain au milieu d'eux (c'est le vocabulaire des théophanies). Chaque fois, il s'attaque à la cause même de l'incrédulité des disciples : le scandale de la Croix. Déjà Pierre refusait un Messie souffrant, après sa profession de foi à Césarée.

Les disciples découvrent que la connaissance du Ressuscité est autre que la connaissance terrestre de Jésus. Ce n'est pas un fantôme, c'est bien lui, mais il est autre. Il est soustrait aux conditions normales de la vie terrestre, il a un corps spirituel. Pour le reconnaître, il faut s'engager et prendre parti pour lui, c'est-à-dire croire en lui.

Il en va de même dans la prière. Tu reconnaîtras le Christ ressuscité en accueillant sa présence et en t'engageant à son égard dans un dialogue de liberté. Pour le reconnaître, tu dois faire un pas vers lui. C'est au moment où tu lui fais confiance dans l'amour qu'il se dévoile à toi : "Viens à moi avec ton coeur, dit un proverbe arabe, et je te donnerai mes yeux". Le Ressuscité ne peut être reconnu que par des croyants.

Mais le Christ ressuscité ne se donne pas à toi en spectacle ; il te projette vers les autres dans l'avenir. Tu dois désormais annoncer que le Christ est présent et vivant au coeur du monde et en tout événement. La présence du Ressuscité n'est pas statique mais dynamique et missionnaire. Tu es envoyé à tous tes frères pour leur annoncer la bonne nouvelle. N'oublie pas que Matthias a été choisi pour apôtre parce qu'il avait accompagné Jésus de son baptême à sa Résurrection. Si tu n'as pas fait l'expérience du Ressuscité dans la prière et la vie quotidienne, tu prêcheras une vérité ou une morale mais tu n'annonceras pas le mystère d'une personne vivante, et en définitive, c'est pourtant cela que tes frères attendent.

47. Tu n'as jamais vu Dieu ; le Fils unique, qui est dans le sein du Père, lui, te l'a fait connaître (Jn. I,18).

Sans le savoir, tu es menacé d'atrophie spirituelle lorsque tu arrêtes ta contemplation sur la seule personne du Christ. Bien sûr, Jésus est la signification dernière de ton existence et ce n'est qu'en lui que tu trouveras ton épanouissement d'homme, mais le Christ n'est pas un but en lui-même. Il y a un christocentrisme qui frôle la myopie et t'établit dans l'illusion dans la mesure même où il te voile la relation au Père. Jésus est le chemin, la vérité et la vie. Son but unique est de te faire passer de ce monde au Père. Sans cette ouverture sur le Père, ta vocation de baptisé est incompréhensible.

Il faut même aller plus loin : ta vocation d'homme elle-même est mutilée si tu n'es pas ouvert par le haut à une relation filiale d'adoration avec le Père. En t'insérant dans le Christ vivifiant qui oriente spontanément ta vie vers le Père, tu connais un épanouissement nouveau et un humanisme transcendant (1). Tu es d'autant plus toi-même que tu demeures davantage dans le Père en Jésus.

Alors, tu ne peux négliger d'entrer avec le Christ dans la Gloire du Père. En suivant Jésus

(1) *Populorum progressio*, n° 16.

dans son pélerinage terrestre, tu entres dans le mystère de sa Croix glorieuse. Son ultime désir est que tu sois avec lui dans la demeure du Père où il t'a préparé une place : "En vérité, je te le dis, dès aujourd'hui, tu seras avec moi dans le Paradis" (Lc. 23,43). La veille de mourir, il a prié pour toi à cette intention : "Père, ceux que tu m'as donnés, je veux que là où je suis, ils soient aussi avec moi, pour qu'ils contemplent la Gloire que tu m'as donnée" (Jn. 17,24).Et pour bien montrer qu'il veut t'introduire dans la vie trinitaire, il dira clairement à Marie de Magdala : "Va trouver les frères et dis-leur : Je monte vers mon Père et votre Père, vers mon Dieu et votre Dieu" (Jn.20,17).

Dans ta contemplation évangélique, ne minimise jamais cette double attitude du Christ, entièrement tourné vers les hommes pour les sauver, mais non moins orienté vers le visage du Père. Si tu lâches un des pôles de cette double orientation, ta prière ne sera plus chrétienne, tu ne verras plus en Jésus qu'un homme et tu auras évacué le Fils de Dieu qui veut faire de toi un fils dans la puissance de son Esprit.

Il est bon parfois de cadrer dans ta prière cette part profonde et secrète du Christ en relation avec son Père, affleurant à sa conscience dans ses nuits d'adoration silencieuse. Tu seras aidé dans cette contemplation par les chapitres 13 à 17 de saint Jean où tu vois Jésus vivre intensément cette joie de contempler la Gloire du Père. Il tressaille d'allégresse à la pensée de vivre en plénitude dans la vision et l'amour du Père. C'est l'Introït même du jour de Pâques qui met sur les lèvres du Christ cette expérience d'union au Père : "Je suis toujours avec toi". Prends le temps de goûter cette joie de Jésus, l'enfant chéri en qui le

Père se complaît.

Seule une prière intense et prolongée peut te faire comprendre de l'intérieur, sous l'action de l'Esprit, combien Jésus est "tendu" vers le Père (ad Patrem). As-tu remarqué dans les synoptiques une petite expression de Jésus où le Père est apparemment absent mais qui traduit bien ce regard d'admiration et d'amour qu'il jette sur son Père : "Nul n'est bon que Dieu seul" (Lc. 18,19). Si tu persévères dans l'oraison, tu comprendras combien Jésus et le Père ne font qu'un au fond de leur être. Prier, c'est participer à cette relation d'amour où tu es dans le Père.

Le dessein du Christ est de t'introduire dans cette relation d'amour avec le Père que l'oraison doit rendre de plus en plus consciente. Quand tu pries, laisse remonter à la surface de ton coeur cette vie trinitaire qui est le fond même de ton existence. Et puis approche-toi du Christ dans la foi ; dis-lui ton désir d'être un avec lui par la force de son Esprit : "Nul ne va au Père que par moi" (Jn. 14,6). Plus tu verras le Christ et plus tu verras aussi le Père : "Ne crois-tu pas que je suis dans le Père et que le Père est en moi" (Jn. 14,10).

Ne cherche pas à comprendre cette vie de Jésus avec le Père, elle déborde de toutes parts ton intelligence humaine, consens à la réalité de ton être, et entre de plus en plus dans ce mouvement de vie et d'amour qui t'emporte comme un flot au coeur de la Trinité : "L'adoration de la Trinité est notre unique dessein" (Monchanin).

48. Tu deviendras un vrai spirituel, c'est-à-dire un homme de prière le jour où tu vivras à fond l'instant présent.

Il y a en toi ce désir secret de vivre en état de prière continuelle. Tu sens que vivre en présence de Dieu est la source de la joie, de la paix et du bonheur véritables. Si tu réunissais toutes les minutes et toutes les heures que tu perds en une journée, tu aurais largement le temps de prier. De temps en temps, prends cinq minutes et arrête-toi dans un état de repos et de silence intérieurs. Que ta seule occupation soit alors d'être là, sans paroles et sans mouvement, dans la seule présence de Dieu vivant. Au cours de tes journées, ne passe jamais une heure sans réaliser cette plongée intérieure dans les profondeurs de ton coeur en présence du Très-Haut. Tu as si souvent l'occasion de lancer vers Dieu un appel à l'aide, un cri d'amour ou de reconnaissance, ne fût-ce que le temps d'une respiration.

Mais tu seras un homme de prière continuelle si tu sais laisser venir à toi l'instant présent comme un cadeau de Dieu. Tu sais bien que ta vie devient prière le jour où tu livres tout ton être au Père dans le sacrifice même de Jésus. Ton existence devient un sacrifice spirituel à la Gloire de la Trinité. Mais le don de toi-même n'est vrai et réel que si Dieu t'entraîne sur le terrain où il veut te mener. Habituellement, tu veux fabriquer ton offrande toi-même alors que Dieu te demande autre chose : le plus souvent ce à quoi tu tiens comme à la prunelle de tes yeux. Laisse à Dieu le soin de prendre dans ta vie ce qu'il veut pour en faire la matière de ton sacrifice spirituel. Ainsi tu seras en état de totale disponibilité vis-à-vis de l'action de Dieu en toi.

Et c'est là précisément que tu rejoins l'instant présent, c'est la charnière entre la vie éternelle et ta vie quotidienne, dit le P.Loew. Tu veux te livrer tout à Dieu mais tu dois lui laisser la manière et la forme de réaliser ce don. Et il réalise sa volonté d'amour en toi à travers le dédale de ton histoire personnelle. Chaque instant de ta vie est une parcelle de cette histoire sainte, et il vient à toi avec une volonté précise de Dieu. C'est là, à cet instant précis, que tu dois vivre ce don de toi-même au Père.

Ne choisis pas l'événement, il vient à toi d'une manière imprévisible et te surprend par son étrangeté. Si tu le subis passivement, tu vis ton existence comme un destin ; si tu l'assumes en profondeur comme une volonté de Dieu, tu fais de ta vie une histoire sainte. Comme le Christ a fait de sa mort apparemment imposée de l'extérieur un acte libre d'amour du Père, tu es appelé à faire de chaque événement de ta vie une offrande spirituelle. C'est là le fondement ultime de ta présence continuelle à Dieu.

L'instant présent est ainsi le seul point de ta vie où, en saisissant la volonté de Dieu, tu peux t'unir à lui dans son être même. Tu n'as plus de pouvoir sur le passé qui appartient à sa miséricorde et tu n'as aucune idée de l'avenir qui est confié à sa Providence ; il ne te reste donc que le présent. L'instant présent est une fenêtre ouverte sur l'éternité, c'est "le clin d'oeil" de Dieu dans lequel tu vis (R.Guardini). Tu ne peux atteindre Dieu que dans l'instant présent, dans celui-ci et dans le suivant : c'est le sacrement perpétuel de la présence et de l'action de Dieu.

Lorsque tu te trouves en chemin de fer et que tu passes le long de cultures perpendiculaires à la voie, il n'est qu'un seul moment précis où le regard puisse les embrasser avec netteté dans toute leur longueur. Avant ou après, tu ne vois qu'un enchevêtrement confus. Dans l'instant présent sont concentrés toute ton expérience humaine et tout l'amour de Dieu pour toi. Dieu n'est plus dans ton passé, il n'est pas encore dans l'avenir ; il n'est présent pour toi que là où tu es.

Si tu veux faire de ta vie une prière continuelle, une union constante à Dieu à travers toutes choses, vis pleinement l'instant présent, tu y découvriras, cachée sous l'apparence banale du quotidien, la présence vivante de Dieu. A ce point précis, tu rencontreras Dieu ; si tu le cherches ailleurs, tu le manqueras. C'est là qu'il t'attend pour se donner à toi et se communiquer tout entier:

Celui qui a l'instant présent a Dieu...

Et qui donc a l'instant présent a tout...

L'instant présent suffit...

Que rien ne te trouble...

(Sainte Thérèse d'Avila)

49. Prier, c'est t'enfoncer de plus en plus dans cet abîme où la Trinité demeure : l'Esprit vient te saisir et te donner au Fils et le Fils te donne au Père.

Tu as commencé cette expérience de prière par une contemplation du Dieu trois fois Saint : tu l'achèves ou plutôt tu la poursuis dans le mystère de la Sainte Trinité. En parcourant toutes les étapes de l'économie du salut, tu as mieux soupçonné l'insondable richesse du mystère de Dieu que Paul compare à un abîme : "Ainsi vous recevrez la force de comprendre, avec tous les saints, ce qu' est la Largeur, la Longueur, la Hauteur, et la Profondeur, vous connaîtrez l'amour du Christ qui surpasse toute connaissance et vous entrerez par votre plénitude dans toute la plénitude de Dieu" (Eph. 3, 18). Une dernière étape reste à franchir car le mystère pascal n'est pas un but en lui-même, il débouche dans l'amour trinitaire. En passant de ce monde au Père, Jésus t'entraîne à sa suite et t'introduit dans le mystère de ses relations avec le Père.

La vie trinitaire, c'est l'essence même de l'oraison et de la prière contemplative. Prier, c'est prendre conscience des relations nouvelles qui existent entre les Personnes de la Trinité et toi, c'est te laisser entraîner dans le mouvement même de la vie trinitaire. Comme le dit saint Irénée : l'Esprit vient te saisir et te donne au Fils et le Fils te donne au Père. Dans la prière, ne t'arrête pas aux zones intermédiaires du pensé et du senti, mais enfonce-toi dans cet abîme où la Trinité demeure, viens rejoindre la Trinité qui est en toi. Quels que soient tes inquiétudes, tes péchés et tes besoins, rejoins d'abord la Trinité et ensuite tu retrouveras tout cela d'une autre manière.

Tu es ici au coeur de la prière. Avec ton intelligence et ton coeur, tu peux atteindre l'existence de Dieu mais le secret de son intériorité t'est inaccessible ; seul l'Esprit Saint peut te révéler expérimentalement ce mystère d'amour. Tu connais bien l'expression de saint Jean : "Dieu est Amour" (1 Jn. 4,8), mais as-tu pris toute la dimension de ce mot Amour ? Pour toi, l'amour est souvent une bienveillance, un intérêt que tu portes à quelqu'un ou un attrait que tu sens pour lui. En son fond, Dieu est Amour ; cela veut dire qu'il est une communauté de Personnes ou mieux encore une communion. Son être même, son existence, c'est d'aimer. En un mot, il personnifie l'Amour.

Pour Dieu, être c'est aimer, c'est-à-dire sortir de soi pour se donner et exister en un autre. Chaque Personne de la Trinité existe dans la relation qui la projette vers l'autre. Lorsque tu dis que Dieu est Père, tu affirmes en même temps qu'il n'existe que pour sortir de lui, se donner et se retrouver totalement dans son Fils. Jésus lui-même n'existe et ne vit que pour le Père à qui il se donne entièrement. Leur amour mutuel s'exprime et devient créateur dans la Personne du Saint Esprit. L'oraison, c'est la découverte expérimentale de cette immense circulation d'amour entre les Personnes de la famille divine.

Au coeur de la Trinité, tu es vraiment à la source de l'amour dans le monde et dans l'Eglise. Lorsque Jésus énonce le plus grand commandement (Mt. 23,34-40) et invite ses disciples à aimer Dieu et leurs frères, il ne fait rien d'autre que de te situer au coeur de la Trinité. Tu ne captes pas l'amour de Dieu et des autres, ce n'est pas un amour que tu puisses faire naître en toi par tes propres forces, et il n'a rien de commun avec les sentiments que tu éprouves pour Dieu dans la prière ou une certaine philanthropie pour tes frères.

En contemplant la Sainte Trinité, tu demandes à l'amour qui vient d'en haut et qui unit intimement les Trois Personnes divines de venir en toi: "L'amour de Dieu a été répandu dans nos coeurs par l'Esprit Saint qui nous a été donné" (Rm. 5,3). Cet amour est créé en toi par le Saint Esprit et il t'est donné par le Christ mort et ressuscité reçu en nourriture dans l'Eucharistie : "Répands en nous, Seigneur, ton esprit de charité, pour qu'après nous avoir nourris du sacrement pascal, ton amour paternel garde nos coeurs parfaitement unis" (Postcommunion de Pâques).

Si tu essaies d'approcher un peu ce mystère des relations trinitaires, tu vois qu'elles se caractérisent par un double mouvement : accueil et communion, don et réciprocité. Les Personnes divines ne se possèdent que pour se donner ; elles se réalisent dans l'ex-tase. Dieu ne cesse de manifester son amour dans le don de lui-même, qu'il s'agisse de l'amour des Personnes divines entre elles ou de l'amour pour les hommes qui éclate dans la création, la Croix et l'Eglise.

Simplement essaie de prendre conscience de l'amour de Dieu pour toi. C'est une invitation à te souvenir des merveilles de Dieu à ton égard pour en pénétrer le sens et t'unir à lui. Il te crée et te maintient dans l'existence avec toutes les richesses de ta personne : corps, esprit, coeur, talents, etc. Par le baptême, il te recrée et fait de toi un fils qu'il nourrit de l'eucharistie et à qui il accorde son pardon. Souviens-toi de toutes les grâces de ta vie dans le domaine de la vocation, de la prière, de l'apostolat, etc.

Dans la prière, approfondis le sens et le secret de ces dons. Trop souvent, tu ressembles au fils aîné de la parabole qui est obnubilé par les biens de son père : "Tu ne m'as jamais donné un chevreau pour festoyer avec mes amis" (Lc. 15,29). La vue des biens et des choses lui a enlevé la vue des personnes. Il ne voit plus le père qui est l'auteur de tous ces dons et ce dernier lui en fait un doux reproche : "Toi, mon enfant, tu es toujours avec moi, et tout ce qui est à moi est à toi" (Lc. 15, 31). En prenant conscience des dons de Dieu, tu découvres qu'à travers eux, c'est le Père qui se rend de plus en plus présent à toi. Il ira plus loin encore en réalisant en ton coeur sa présence d'amour et de grâce. Le don suprême qu'il te fait se concentre dans la personne de son Fils Jésus.

Cette prise de conscience des "mirabilia Dei" est une invitation à louer et à admirer l'oeuvre de Dieu en toi. Tu es là en face de l'enjeu de toute vie chrétienne. D'une part, tu peux utiliser ces dons de Dieu pour ta jouissance égoïste au lieu d'en faire des instruments de relation à Dieu et aux autres; c'est le péché du fils cadet qui part dilapider ses biens dans une vie de prodigue loin du Père. Il n'est plus en relation avec son père et se coupe des siens. D'autre part, tu peux t'offrir à Dieu avec tout ton être, réorientant vers lui tes dons, tes richesses et ton coeur. La pointe de cette contemplation doit t'amener à réaliser cette offrande à Dieu dans la vérité de ton être.

Avec toute la création tu es appelé à t'insérer avec le Christ au coeur de la vie trinitaire: "Tout est à vous, vous êtes au Christ, et le Christ est à Dieu". Faire oraison, c'est être admis par grâce dans ce dialogue d'amour qui existe entre les trois Personnes divines, c'est partager leur vie et leur union, enfin c'est être capable de dire à Dieu: "Tu".

Mais tu découvres aussitôt les exigences de cette insertion trinitaire dans ta vie. Tu ne peux entrer dans ce courant d'amour qu'à la condition de vivre et d'aimer comme les Personnes de la

Trinité. Cela exige une totale dépossession de ta personne et une entière pauvreté pour te donner à l'autre. Tu vérifies ici la loi des Béatitudes : la pauvreté spirituelle est la condition sine qua non de l'amour. Ainsi tous nos biens sont mis au service de Dieu et des autres.

Tu comprends alors pourquoi l'amour fraternel s'enracine dans la communion trinitaire. Dans la communion avec tes frères, tu es appelé à reproduire sur terre l'amour qui unit les Personnes divines. C'est dans le mystère trinitaire que l'amour fraternel tire sa source. De même que le Père aime le Fils en se donnant tout à lui et le Fils aime le Père en se livrant tout à lui, ainsi ce même amour qui circule au coeur de la Trinité t'apprend à donner ta vie pour les autres. La charité fraternelle ne réside pas dans des techniques mais dans une communion plus grande à Dieu. En toute rigueur de termes, tu ne fais pas d'effort pour aimer tes frères, sinon tu risques beaucoup d'illusions, mais vivant dépouillé et pauvre, tu es comblé de l'amour de Dieu et rendu capable d'aimer les autres : "Qu'ils soient un comme nous sommes un" (Jn. 17;22).

Ceci explique pourquoi il a été peu question d'apostolat et de charité fraternelle dans ce livre. Trop souvent, tu réduis l'amour des frères à un vague moralisme ou à une sentimentalité épidermique, alors qu'il découle avant tout du mystère de la Trinité. Chaque fois que des époux se donnent l'un à l'autre ou que des amis s'aiment, ils vivent et reproduisent sur terre le mystère de la Trinité. C'est donc dans la contemplation de ce mystère que se trouve le fondement de toute prière et de tout amour vrai des autres. Berdiaëv disait déjà à ses amis communistes : "Notre doctrine sociale, c'est la Trinité". Au fond, ton unique dessein sur terre est de contempler et d'adorer la Trinité en exposant à cet amour toute la surface nue de ton être, jusque dans ses puissances les plus charnelles pour qu'il t'envahisse et t'entraîne dans son courant. N'est-ce pas là aussi l'épanouissement plénier de ta vocation éternelle ? Pourquoi les chrétiens se nourrisent-ils si peu du mystère de la Sainte Trinité ? Ils trouveraient cependant dans cette "contemplation pour obtenir l'amour" une source jaillisante de vie éternelle. Tu peux reprendre sans cesse cette contemplation de la Trinité qui est l'essence même de l'oraison et de la vie de prière. Au sortir d'une retraite conçue avant tout comme une expérience de prière, il est bon de la reprendre durant plusieurs semaines pour te maintenir dans l'esprit des mystères contemplés.

La dernière étape te situe au coeur de la Trinité pour voir toutes choses s'écouler d'elle : "Considérer comment tous les biens et tous les dons viennent d'en-haut ... comme du soleil coulent des rayons, de la source coulent les eaux" (Exercices, 237). Le jour où tu comprends que tout vient de Dieu, tu deviens vraiment son coopérateur en exerçant ton sacerdoce des baptisés. Avec Jésus, tu t'offres au Père en "hostie sainte, vivante et agréable" (Rm. 12,1), et tu lui présentes en même temps toute la création. Comme Jésus au sein de la Trinité fait remonter sans cesse vers le Père ce qu'il est et ce qu'il a reçu de lui, de même tu restitues à Dieu tous les biens qu'il t'a donnés. C'est l'acte de suprême abandon que Jésus accomplit sur la Croix en disant au Père : "Tout est consommé".

Cette contemplation de la Trinité doit unifier toute ta vie, car elle te plonge dans la réalité de l'amour et t'apprend à trouver et à aimer

Dieu en toutes choses. Le jour où tu comprends que Dieu t'aime, que tout est renfermé dans l'amour, la vie se transforme et tu le trouves partout : aussi bien dans les contacts que dans le travail quotidien, l'étude et la prière. En toi, l'opposition n'existe pas entre la prière et l'action, entre l'être-avec-Dieu et l'être-avec-les-hommes; le véritable combat se situe entre le vieil homme et l'homme nouveau, le péché et la grâce, l'égoïsme et le don de toi-même. Si ton coeur est ouvert et disponible tu seras emporté dans le courant de l'amour et ta vie sera le lieu privilégié de l'expérience de Dieu.

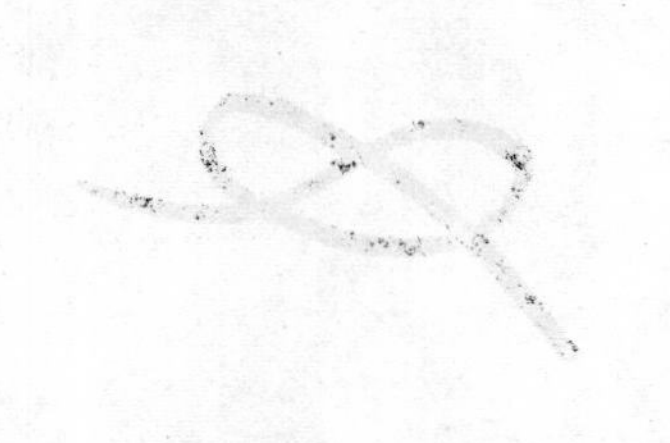

NOTE SUR L'EXPERIENCE DU CROYANT

Etant donné l'importance que nous attribuons, dans ce travail, à l'expérience spirituelle, il n'est pas inutile de préciser cette notion. Nous parlons, en effet, d'expérience de prière dans laquelle on goûte la présence de Dieu ou d'expérience du discernement spirituel à travers nos désirs : autant d'expressions qui semblent privilégier l'affectivité. Par ailleurs, nous connaissons l'importance donnée aujourd'hui à l'expérience dans la vie de foi qui est souvent définie comme une connaissance expérimentale et vitale du Christ. En se tournant vers la religion, l'homme moderne lui demande souvent : "Quelle expérience valable pouvez-vous m'apporter ?" L'intérêt actuel pour les religions orientales est bien souvent motivé par un vague désir d'expérience religieuse à bon compte et sans conversion profonde de la part de l'homme.

Nous savons combien cette notion d'expérience est vague et ambiguë, voire même dangereuse, quand elle se dégrade en manifestations violentes, irrationnelles et anarchiques. Il faut donc apporter quelques précisions pour être plus libre et plus spontané au cours de ces pages en purifiant la notion d'expérience de toutes ses contrefaçons. Il faut toujours discerner l'essentiel de l'accessoire, l'immuable du transitoire, l'authentique de l'illusoire, de façon à ce que les lecteurs ne se méprennent pas sur notre intention profonde. Nous voudrions donc apporter une précision concernant l'expérience chrétienne elle-même.

Le mot "expérience" a plusieurs sens, aussi bien dans le vocabulaire profane que dans le vocabulaire religieux. Il peut désigner l'expérience scientifique ou philosophique, et, en religion, l'expérience du croyant ou l'expérience mystique. Le sujet de l'expérience que nous abordons ici brièvement est, non pas le mystique exceptionnel ni le charismatique extraordinaire, mais le chrétien normal qui s'efforce de vivre pleinement sa foi. Il serait intéressant d'étudier chez saint Paul les différents degrés de l'expérience du croyant ; on y trouverait les spirituels commençants qui sont comme des enfants dans la foi, appelés à grandir et à devenir adultes. Il y a aussi les spirituels adultes que Paul appelle "parfaits", c'est-à-dire les chrétiens normaux, fidèles aux grâces qu'ils ont reçues. C'est de l'expérience de ces chrétiens qu'il est question dans l'épître aux Romains.

Ailleurs, Paul fait allusion à des "spirituels noués" qui en restent aux commencements, qui ne développent pas leur foi et leur vie chrétienne ou qui même retombent dans l'ignorance et dans le péché ... Preuve qu'à ses yeux, ces catégories ne sont pas figées. Les spirituels peuvent redevenir en fait des charnels et les charnels peuvent être spiritualisés. C'est là une différence importante avec certaines conceptions religieuses pour lesquelles tout est fixé d'avance par un Dieu inflexible et immuable. Enfin, Paul fait allusion à une expérience de type tout à fait exceptionnel ("Je fus ravi , dit-il, au septième ciel"), sur laquelle il ne s'attarde pas et sur laquelle nous n'avons pas à nous attarder. Il faudrait du reste reprendre en détail ces différents degrés d'expérience mais cela déborde notre étude. Nous prenons ici le mot "expérience" au sens large, intéressant le croyant, c'est c'est-à-dire l'homme qui adhère, de tout son être, à la Parole de Dieu,et qui est un spirituel parce qu'il a reçu l'Esprit de Dieu. Paul distingue nettement deux catégories d'hommes : les psychiques qui en restent sur un plan purement humain, et les spirituels dont l'esprit est transformé par l'Esprit divin et qui entrent dans la sagesse des Béatitudes et de la Croix.

Ici, il ne sera question que de l'expérience du chrétien normal. Disons encore que dans le catholicisme le terme "expérience" n'avait pas bonne presse jusqu'à ces derniers temps ; ce n'est que depuis une vingtaine d'années qu'il commence à retrouver sa place dans le vocabulaire religieux. Il évoquait alors, chez les théologiens spirituels et chez les directeurs de conscience tellement de déviations (tous les faux mysticismes collectifs et individuels) que ceux-ci s'en méfiaient comme de la peste.

A une époque où l'on valorise le "senti" et les états seconds provoqués par des techniques ésotériques, il n'est pas inutile de s'en méfier. Il ne s'agit pas d'avoir peur mais de se faire une conception saine de ce que recouvre ce mot, en évitant toutes ses déviations. Lorsque nous parlons d'expérience, nous sommes toujours menacés de plusieurs tentations, soit en la réduisant à une pure émotivité, soit en surestimant l'activité de l'homme. Au fond, le plus grand risque que nous courons est de dépersonnaliser l'expérience en désintégrant l'homme à ses différents niveaux. C'est l'homme tout entier, inséré dans la communauté, qui est sujet de l'expérience.

D'abord, ne réduisons pas l'expérience chrétienne à ses composantes affectives, c'est une tentation majeure pour l'homme qui risque d'être envahi aujourd'hui par une sensibilité non hiérarchisée. Ne la confondons pas avec une émotion , même d'ordre supérieur ou religieux, celle que dénie Bergson dans "Les deux sources...". Dans l'expérience chrétienne, il y a plus et mieux qu'un ébranlement des puissances sensibles. Cela ne veut pas dire que la composante affective est étrangère à l'expérience mais il ne faut pas confondre affectivité et sensibilité. En nous, la sensibilité est une puissance qui éprouve, accueille et transmet ; elle a donc une place dans l'expérience, à condition que notre affectivité profonde assume le mouvement de notre sensibilité.

Dans l'expérience chrétienne et surtout dans la prière, il y a d'abord un élément de connaissance, de lucidité et d'adhésion intellectuelle. L'homme doit se saisir devant la vérité de Dieu et dans la vérité de son être. C'est pourquoi il y a une contemplation objective de Dieu tel qu'il se révèle dans la Bible. Dieu n'existe pas seulement parce que je l'ai rencontré, mais aussi parce qu'il s'est révélé objectivement à un peuple, à des témoins et dans son Fils Jésus-Christ, à travers des événements précis de l'histoire.

Il y ensuite une composante affective. Le Dieu qui se révèle est aussi celui qui est amour, bonté, tendresse et miséricorde; selon Pascal, il est le Dieu du coeur. Il est donc normal qu'en prenant conscience de cet amour personnel de Dieu, nos puissances affectives soient ébranlées et que nous vibrions en profondeur dans la reconnaissance, la joie et la louange.

Mais rien ne s'arrête ici dans l'expérience chrétienne vraie ; c'est pourquoi elle comporte nécessairement une composante volontaire, active et libre. Qui dit amour ne dit pas seulement affection ressentie mais aussi don de la personne à l'autre. Quand nous parlons de l'amour, nous ne devons jamais dissocier amour affectif et amour effectif, accueil et don, sinon nous tombons dans le sentimentalisme ou le volontarisme. Aimer, c'est tout en même temps accueillir l'affection de l'autre jusque dans nos puissances sensibles et se livrer à lui dans un don effectif de notre personne.

Nous ne prenons **conscience** de la présence de l'amour de Dieu en nous, c'est-à-dire de sa grâce, qu'au moment où nous sortons de nous-mêmes pour nous donner à lui : "Ce ne sont pas ceux qui disent : Seigneur, Seigneur, affirme Jésus, qui entreront dans le Royaume des Cieux, mais ceux qui font la volonté de mon Père". Nous n'expérimentons vraiment la présence de la grâce en nous que dans le don gratuit de notre personne à Dieu et à nos frères (cf. fiche III). Il en va de même au plan humain ; nous ne pouvons faire l'expérience de notre intelligence et de notre liberté qu'en posant des actes intelligents et libres. C'est dans l'acte libre que j'expérimente que je suis une personne spirituelle.

C'est pourquoi la véritable expérience de Dieu doit être authentifiée au ras de notre vie quotidienne et de nos relations fraternelles ; c'est le seul critère de vérification , bien plus sûr que les émotions éprouvées dans l'oraison. Nous est-il déjà arrivé d'aimer un frère, sans intérêt, pour la seule joie de le promouvoir comme homme libre ?

sommes-nous capables de pardonner à quelqu'un qui nous a blessé, sans rien attendre en retour que d'accomplir secrètement la volonté du Père ? accomplissons-nous consciencieusement nos tâches quotidiennes avec le seul désir de livrer au Père la substance même de notre être dans l'amour, à l'abri de tout regard ? nous est-il déjà arrivé de consacrer une heure de liberté à prier le Père en écoutant sa Parole dans le secret de notre chambre ? Il ne s'agit pas d'agir par pure volonté, mais d'éprouver la joie et le bonheur dans le don gratuit de notre personne. Je pense que c'est à ce niveau que nous faisons une authentique expérience de l'amour de Dieu et de la grâce.

C'est pourquoi l'expérience chrétienne n'est pas une pure passivité sensible ou intellectuelle. Si elle n'était que cela, elle ferait de nous des êtres purement sentimentaux ou cérébraux, et ne présenterait pas un intérêt considérable. C'est pour cela que nous insistons tout au long de ces méditations sur la vérification de notre prière par la louange gratuite et la sortie de soi dans le don de notre être aux autres. Il semble plus cohérent de rendre à l'expérience chrétienne son caractère et son sens actif : "Ainsi, quoi qu'il en soit des apparences, l'actif est, dans l'expérience, plus sûr que le passif ; le voulu, plus sûr que le vécu ; le posé, plus sûr que le senti" (1). De même, il ne faut pas confondre la passivité de celui qui subit purement et simplement, et la passivité de celui qui accueille. Il y a une passivité chrétienne qui est accueil et don. C'est une passivité active ou une activité passive.

L'expérience chrétienne s'inscrit aussi

---

(1) MOUROUX, L'expérience chrétienne, p. 22

dans un devenir car elle se déroule tout au long de la vie. Si elle comporte une dimension de profondeur, car elle intéresse le tout de l'homme (intelligence, coeur, corps, volonté et liberté), elle comporte aussi une dimension de longueur et de largeur. Cela veut dire que nous faisons l'expérience de Dieu dans le déroulement de notre histoire personnelle et sociale. L'expérience chrétienne s'inscrit à l'intérieur d'un mouvement dialectique et historique ; elle comporte donc un "avant" et un "après" qui ne sont décelables que dans le déroulement de notre histoire personnelle, mais l'instant où elle se réalise échappe à notre observation car c'est une irruption de Dieu, c'est-à-dire de l'éternité dans le temps. Comme Jacob, nous pourrions dire, après cette expérience : "Dieu était là et je ne le savais pas !".

C'est bien souvent, après des années d'oraison vécues dans la fidélité et l'aridité, que nous découvrons l'action de l'Esprit en nous. Newman disait : "Nous ne discernons pas la présence de Dieu au moment où elle est avec nous, mais ensuite, quand nous reportons nos regards en arrière, vers ce qui est passé et révolu". Le temps est donc un facteur de première importance dans la prière et la vie spitituelle. Soudain, nous expérimentons que le Christ nous a visités et qu'il est réellement pour nous une personne ; nous ne pourrions pas dire le moment exact où cette rencontre s'est faite, mais nous avons l'évidence qu'il y a eu un événement spirituel. Il en va de même pour nos choix spirituels (cf. fiches 31, 32, 33) qui s'authentifient dans le temps.

A notre insu, l'Esprit Saint éclaire notre intelligence et meut notre volonté dans une ligne bien précise, et, en "relisant" les constantes de notre vie, nous voyons, sur une durée assez longue, la volonté de Dieu se préciser pour nous. C'est pourquoi il ne faut pas juger une expérience de prière dans le seul instant immédiat mais dans la durée de notre histoire spirituelle. Comme saint Bernard le fait souvent remarquer, nous ne pouvons pas pressentir dans notre coeur l'entrée du Christ ou sa sortie, mais nous l'expérimentons au fil des jours par le renouvellement de notre être et le progrès spirituel de notre vie.

Enfin, rappelons-nous aussi que l'expérience chrétienne n'est jamais purement individuelle. Proprement personnelle, certes, mais non moins communautaire, en relation étroite avec une Eglise où elle se découvre, se nourrit et s'authentifie. L'Eglise est le milieu vital et maternel de l'expérience chrétienne. On ne peut se situer devant Dieu que comme membre d'une immense famille, et il y a une expérience de prière et de vie communautaire qui célèbre l'oraison et la vie fraternelle dans le quotidien.

L'expérience chrétienne est donc une expérience complexe, nous dirions une expérience intégrale, ou plus exactement, une expérience intégrante, c'est-à-dire intéressant le tout de l'homme : affectivité, lucidité, activité, volonté, liberté, histoire personnelle et ouverture communautaire. Elle n'est ni dans la pure passivité, ni dans la seule activité : "Il y a expérience quand la personne se saisit en relation avec le monde, avec soi-même, avec Dieu. Plus exactement encore, l'expérience est l'acte par quoi la personne se saisit en relation avec le monde, soi-même et Dieu". (1)

---

(1) MOUROUX, L'expérience chrétienne, p. 21

Le dialogue avec Dieu

IV

1. Si tu veux savoir quelle est la valeur de ta vie, vois quel est son poids d'adoration.

Dans la prière, tu es surtout attiré par le mouvement d'amour de Dieu qui vient te sauver en Jésus-Christ. Ainsi tu risques de te mettre au centre et de t'enclore dans un utilitarisme spirituel. Brise ce cercle pour oser le mouvement ascendant contraire dans un geste gratuit d'adoration. Tu es fait pour adorer Dieu et ta vie trouvera son vrai centre de gravité lorsque tu te prosterneras dans la poussière devant le Dieu trois fois Saint de la vision d'Isaïe (ch. 6).

Les chrétiens parlent encore beaucoup de Dieu ; ils font même beaucoup de choses pour lui ; mais ils perdent le sens de l'adoration ; c'est pour cela qu'ils sont menacés d'athéisme. Un Dieu qu'on n'adore pas n'est pas le vrai Dieu. Tu dois reconnaître que Dieu seul est Dieu, et que l'adoration est ton premier devoir. Cet acte n'est qu'une anticipation, un avant-goût de ce que tu feras éternellement au coeur de la très sainte Trinité.

Adorer n'est pas seulement pour toi un devoir qui découlerait de ta condition de créature ; c'est la forme la plus haute de ta vie d'homme. En adorant Dieu, tu proclames sa sainteté, mais en même temps tu affirmes ta grandeur d'homme libre devant lui : "La valeur d'une vie, dit l'abbé Monchanin, c'est son poids d'adoration". Quand tu veux Dieu pour Dieu en l'adorant, tu trouves ta liberté d'homme.

Il est vrai que l'Eglise doit sans cesse rappeler que le Christ est venu sauver l'homme et que les chrétiens doivent se mettre au service de leurs frères, mais elle serait infidèle à sa mission si elle réduisait le christianisme à une pure diaconie fraternelle, car la foi se dégraderait en un humanisme tronqué. Aujourd'hui les hommes étouffent dans une société de consommation, ils ont un droit strict à voir l'Eglise telle qu'elle est dans sa véritable mission : tournée vers les hommes à sauver, mais d'abord vers Dieu à adorer et à aimer.

Demande longuement et ardemment à l'Esprit Saint le sens de l'adoration, et puis prosterne-toi devant Dieu dans l'attitude de celui qui est saisi tout à la fois par l'expérience de la sainteté de Dieu et par le sentiment de son péché : "Adorer Dieu, dit le P.Geffré, c'est baisser les yeux devant sa gloire". "Lorsque Moïse entendit la voix de Dieu dans le buisson ardent, il se voila la face dans la crainte que son regard ne se fixât sur Dieu" (Ex. 3,6). Seul le Christ rend une parfaite louange d'adoration au Père ; demande-lui de reproduire ce mouvement qui le tendait "ad Patrem".

Pour adorer, tu dois entrevoir la gloire de Dieu, c'est-à-dire sa grandeur inaccessible et sa sainteté incomparable. Mais Dieu ne se révèle jamais comme Tout-Autre sans se révéler en même temps comme tout proche, car il est Amour. Le Dieu Saint est aussi inséparablement le Dieu Amour qui te fait participer à sa vie trinitaire. Dieu est adorable parce qu'il est Amour.

Ton corps lui-même est appelé à exprimer l'adoration de ton coeur. A certains moments, tu ne pourras rien faire d'autre que de te prosterner la face contre terre (Ez.1,28), car la sainteté de Dieu est un mystère qui échappe toujours aux prises de l'homme. Tu te cacheras le visage dans les mains mais tu entendras Dieu t'appeler par ton nom. Tu prendras aussi conscience de ton péché face à la sainteté de Dieu. Mais le Dieu Saint n'anéantit pas le pécheur, il le purifie. L'ange touche la bouche d'Isaïe avee de la braise enlevée de l'autel, pour la purifier.

Au fond, c'est en contemplant Jésus-Christ que tu découvriras la Sainteté et la proximité de Dieu. En lui, tu as l'intimité du Dieu Tout-Autre avec l'homme. Il est l'unique adorateur du Père : "L'heure vient où les vrais adorateurs adoreront le Père en esprit et en vérité, car ce sont là les adorateurs tels que les veut le Père" (Jn. 4,23). Dans la prière, tu es happé par l'Esprit qui te configure au Christ. A son tour, le Fils te ramène aux profondeurs du Père et te fait participer à son étreinte d'amour. C'est des lèvres et du coeur du Christ que monte la parfaite adoration du Père. Enfonce-toi de plus en plus en Christ.

II. Désire Dieu de toutes les forces de ton coeur, mais ne porte jamais la main sur lui pour le capter. Alors seulement, il viendra à toi.

Ne va pas croire que tu peux conquérir Dieu à la force de tes poignets ou le séduire par la beauté de tes paroles. Tu ne peux même pas faire un pas vers lui avant qu'il soit venu à ta rencontre. C'est lui qui veut te conquérir et te séduire ; malheureusement les oreilles de ton coeur sont souvent fermées à ses appels. Dieu tourne autour de toi et il attend que tu creuses une brèche dans ton coeur pour s'y engouffrer avec tout le dynamisme de son amour.

Cette brèche sera ton désir orienté vers lui. C'est la seule force capable de l'obliger à descendre. Mais il faut que ton coeur soit totalement habité par un désir ardent de Dieu qui ne souffre aucun partage. Demande souvent à l'Esprit Saint de creuser ton coeur pour que puisse sourdre au plus profond de toi ce désir de Dieu.

Seul le désir oblige Dieu à descendre. Tu ne peux pas monter vers lui car la direction verticale t'est radicalement interdite : "Il n'y a pas d'échelle avec laquelle l'intelligence puisse parvenir à atteindre Dieu" (S. Jean de la Croix). Si tu regardes longtemps et intensément vers le ciel, Dieu descendra et t'enlèvera. C'est toujours lui qui te cherche : "Fatigué, tu t'es assis, me cherchant". Tu ne peux pas chercher Dieu, tu ne peux même pas faire un pas vers lui, à moins d'être sollicité intérieurement ou expressément appelé.

Si tu le supplies de venir, il viendra à toi. Bien plus, si tu le lui demandes souvent, longtemps et ardemment, il ne peut pas s'empêcher de descendre vers toi. Tu dois comprendre que la prière ressemble à s'y méprendre à l'amitié entre deux êtres humains. Médite souvent ces paroles de Simone Weil à propos de l'amitié et applique-les à ta relation à Dieu :

> "L'amitié est le miracle par lequel un être humain accepte de regarder à distance et sans s'approcher l'être même qui lui est nécessaire comme une nourriture. C'est la force d'âme qu'Eve n'a pas eue et pourtant elle n'avait pas besoin du fruit. Si elle avait eu faim au moment où elle regardait le fruit, et si, malgré cela, elle était restée indéfiniment à le regarder sans faire un pas vers lui, elle aurait accompli un miracle analogue à celui de la parfaite

amitié" (1).

A proprement parler, tu ne peux pas faire d'effort pour rejoindre Dieu, ou plutôt l'effort qui t'est demandé est celui de regarder, d'écouter et de désirer. Tu dois être attentif au don que Dieu te fait de lui-même et y consentir comme Marie à l'Annonciation disant : "Fiat". L'oraison est un acte d'attention et de consentement à Dieu qui ne cesse de rôder autour de ton coeur.

La prière, comme l'amitié, est une joie gratuite. Tu ne dois pas la rechercher pour elle-même. Tu dois être en attente, pauvre et dépouillé, pour être digne de la recevoir. Prier, c'est de l'ordre de la grâce. Si tu passes toute ton oraison à désirer Dieu, sans vouloir le capter ni l'annexer à toi, tu peux être sûr qu'une grande grâce t'est advenue, car tu ne désirerais pas Dieu s'il n'était présent et agissant au plus intime de toi pour susciter ce désir. Si tu n'avais pas Dieu en toi, tu ne pourrais pas en ressentir l'absence.

Et si ton coeur est sec, si tu es comme une bûche ou une brute devant Dieu, sans aucun désir de lui, clame ta souffrance en des cris véhéments. Frappe à la porte de Dieu jusqu'au moment où il t'ouvrira. Sache que le Père ne te donnera pas une pierre si tu lui demandes du pain. Il veut t'accorder ce que tu lui demandes, mais il attend que tu persévères jusqu'au bout de tes forces.

---

(1) S. WEIL, Attente de Dieu, pp. 158-159.

III. Faire l'expérience de Dieu, c'est te plonger dans ce mystère silencieux que tu appelles Dieu sans en recevoir apparemment d'autre réponse que la force de continuer à prier, à croire, à espérer et à aimer.

Que d'hommes se tournent aujourd'hui vers les religions orientales pour leur demander : "Quelle expérience nous offrez-vous ?" Les chrétiens eux-mêmes parlent beaucoup de l'expérience de Dieu ; malheureusement ils entendent trop souvent par là un sentiment pieux ou une émotion religieuse d'ordre supérieur, alors que l'expérience spirituelle est bien mieux et bien autre chose que cela. Dieu ne s'offre jamais aux hommes comme un spectacle pour leurs yeux ou une exaltation pour leur sentiment.

Et cependant, il y a une authentique expérience de la grâce, c'est-à-dire une invasion de notre être d'homme par l'Esprit du Dieu trinitaire, qui s'est réalisée en Jésus au moment de son incarnation et de son sacrifice sur la Croix. Oui, il t'est possible de faire cette expérience de la grâce dans ta vie d'homme, mais elle est obscure, mystérieuse et ne coïncide jamais avec ce que tu attendais. C'est toujours une expérience de don et de gratuité dans laquelle tu te livres dans une dépossession de toi-même pour laisser le Dieu infini agir en toi.

Pour approcher un peu cette expérience de la vie divine en toi, regarde comment le Christ s'est réellement saisi comme Fils de Dieu, comment il a connu le Père, c'est-à-dire quelle expérience il a faite de lui. Bien sûr, Jésus a vécu une intimité profonde avec son Père dans ses heures de prière nocturne, il a entendu cette parole : "Celui-ci est mon Fils bien-aimé", mais il a vraiment connu le Père à l'agonie et à la Croix. Il attendait du Père une aide directe, une de ces consolations visibles qui aurait éloigné de lui la coupe. Et le Père ne la lui a pas donnée car il refuse toujours cette consolation à ses meilleurs amis. Le Christ a vraiment fait l'expérience de la grâce au moment où, abandonné des hommes et plongé dans une solitude effroyable, il a quand même bu librement le calice par amour. Le Christ met directement en rapport cette connaissance expérimentale du Père et le fait de donner sa vie : "Je connais le Père et je donne ma vie pour mes brebis" (Jn. 10,15).

Si tu veux faire l'expérience de Dieu, tu ne peux faire l'économie de l'expérience de Jésus. Au moment où le silence de Dieu pèse terriblement sur toi et où tu aurais besoin d'une aide directe de lui, si alors tu persévères à croire, à espérer et à aimer, tu expérimentes le vrai miracle de la foi et de la présence de Dieu en toi, car tu ne pourrais pas agir ainsi si Dieu n'intervenait directement.

K.Rahner décrit ainsi quelques situations où nous faisons l'expérience de la grâce : "Nous est-il déjà arrivé d'obéir non parce que nous devions le faire sous peine d'avoir des inconvénients mais simplement à cause de ce mystère, de ce silence... que nous appelons Dieu et sa volonté... Avons-nous été déjà une fois vraiment seuls ? Nous est-il déjà arrivé de prendre une décision quelconque uniquement à cause de l'appel le plus intime de notre conscience... quand on est absolument tout seul et que l'on sait qu'on prend une décision que personne ne peut prendre à notre place et dont on est pour toujours responsable ? Nous est-il déjà arrivé d'aimer Dieu quand aucune vague d'enthousiasme sensible ne nous porte plus ... quand cela paraît être un saut effrayant dans l'abîme, quand tout semble devenir incompréhensible et apparemment absurde ? Avons-nous parfois été bon envers un homme de qui nous n'attendions aucun écho de reconnaissance ou de compréhension ?" (1)

C'est dans ce don gratuit de toi-même à Dieu et aux autres que tu expérimentes vraiment la grâce, et cela ne se fait pas seulement dans la spéculation intellectuelle mais au ras de ton existence la plus quotidienne. De même quand tu souffres et que tu vois ta souffrance se prolonger, si tu continues à croire au Dieu-Amour, alors seulement tu es proche de Dieu.

Dis-toi bien ceci : tu fais une authentique expérience de Dieu, ou, pour le dire plus simplement, tu es un homme de prière lorsque tu es assez courageux pour te jeter, tout au long de ta vie, dans ce mystère silencieux de Dieu sans en recevoir apparemment d'autre réponse que la force de croire, d'espérer, d'aimer Dieu et tes frères, et qu'en fin de compte, tu continues à prier.

IV. Ne prie pas avec ton intelligence ou avec ta sensibilité, mais exhale ton coeur devant Dieu.

Il faut sans cesse te redire que le lieu de la prière, c'est ton coeur, c'est-à-dire le centre

(1) K.RAHNER, Vivre et croire aujourd'hui, D.D.B. 1967, p. 35.

de ton être, là où tu es toi-même pleinement libre, où tu t'ouvres ou te fermes à Dieu. Ton coeur, c'est la source même de ta personnalité consciente, intelligente et libre, et surtout le lieu où tu es habité par la présence de l'Esprit. Descends toujours plus profond dans ces abîmes de silence où tu communies à la vie même de la Trinité.

Trop souvent tu penses que prier c'est développer devant Dieu de belles considérations intellectuelles. Détrompe-toi, Dieu n'a pas besoin de tes idées, il en a d'infiniment plus belles que toi. De même, ta prière ne peut consister en des sentiments ou des résolutions morales. Il te faut prier avec ton coeur, avec ton être tout entier. Prier, c'est, avant tout, être en face de Dieu sous son regard. Si ton coeur est avec Dieu, le reste suivra, et tu sauras que lui dire et que faire.

Dépouille-toi du non-être et du paraître pour faire sugir devant Dieu le fond de ton coeur. Ce n'est pas facile d'être en vérité devant Dieu car tu joues souvent un personnage à tes propres yeux et à ceux de tes frères. Et puis tu as fabriqué des tuniques de peau pour te protéger du feu dévorant du buisson ardent. Il faut d'abord dégager ton être profond et le réanimer. Ensuite tu t'exposeras, pauvre et nu, au rayonnement de la vie trinitaire. Alors peut-être, après des années de prière décapante, ton être sera-t-il aspiré par le grand courant qui circule entre le Père et le Fils.

Ton être, c'est ta substance. Tu vaux beaucoup mieux que tes paroles, tes pensées et tes actes. C'est ton être qu'il te faut apporter à Dieu, dépouillé de tout avoir et de tout agir. Que de fois tes possessions t'ont empêché d'exister. Plus tu avanceras dans la vie de prière, plus tu deviendras pauvre, dépouillé et simple. Tu prieras alors avec le fond de ton être, au-delà des paroles. Comme le P. de Foucauld, tu t'exhaleras devant Dieu en pure perte de toi.

Apprends à te tenir là en face du Père dans le silence de tout ton être et surtout dans la conscience de son amour. A quoi bon parler pour lui dire ce qu'il sait et voit bien mieux que toi. Viens simplement à l'oraison avec le désir véhément et pacifié d'être là avec Dieu, pour Dieu, en présence de Dieu. Assieds-toi aux pieds du Seigneur, ouvre-lui largement ton coeur et tes mains pour accueillir le don de sa présence amoureuse. Il ne t'est pas demandé d'élaborer des méditations rationnelles ou d'adopter des comportements, mais simplement cette conscience de la présence et de l'amitié de Jésus-Christ.

Tu auras l'impression de perdre ton temps, de ne rien faire et tu seras tenté de t'enfuir. Si tu acceptes de durer ainsi dans le silence, la pauvreté et l'ardente supplication, sans lâcher ton désir de contempler la face du Seigneur, sois assuré : l'Esprit Saint fondra sur toi et t'enlèvera facilement.

Quand tu pars en vacances, tu es tendu, fatigué ; tu n'es plus présent à toi-même, et aux autres. En un mot, ton coeur est écartelé, divisé et dispersé. Et voilà qu'après quelques semaines de grand air, de détente et de soleil, tu rentres pacifié et unifié. Tu vois les personnes et les événements d'une autre façon. Tu ne pourrais dire comment s'est opérée cette résurrection mais elle est réelle et bien palpable. De même, si tu exposes ton être profond au soleil de l'amour de Dieu, dans une cure de prière, tu purifieras l'air que tu respires et tu retrouveras une paix profonde. N'oublie jamais que les hommes qui prient sont les poumons de l'humanité. Si la prière venait à disparaître de ta vie et de celle de tes frères, nous serions tous menacés d'asphyxie.

V. Dans la prière, ouvre les vannes de ton coeur et permets à l'eau vive de t'irriguer jusqu'au plus profond de ton être.

Quand tu lis les Actes des Apôtres, tu assistes à une invasion de l'Esprit qui transforme les coeurs et va même jusqu'à rendre la santé aux infirmes. On dirait vraiment un incendie qui gagne de proche en proche et qu'aucune puissance humaine ne peut faire reculer. Tu es plongé aujourd'hui dans un monde où Dieu est absent et souvent tu fais figure d'original avec les exigences de ta foi. A certains jours, tu souhaiterais bien que Dieu t'accorde une de ces visites intempestives de l'Esprit qui te procurerait l'assurance, "une de ces parénèses dont ton âme qui est incarnée dans un chair tendre puisse se rassasier quelque peu pour reprendre force" (Moëller).

Crois-tu que le bras de Dieu est aujourd'hui trop court pour opérer de telles merveilles ? Ne penses-tu pas que c'est ta sagesse huamine qui est trop courte pour permettre à Dieu de pareils signes ? Si ta foi était un peu plus forte, ne fût-ce que de la grosseur d'un grain de sénevé, tu assisterais encore à de telles irruptions de Dieu en toi et dans le monde. Alors ouvre tout grand ton coeur à ce dynamisme de l'Esprit et laisse sur la berge tes doutes, tes peines et tes atermoiements. Fais confiance à l'Esprit et il agira dans ton coeur.

La prière est ce moment unique et privilégié où tu ouvres les vannes de ton coeur à cette impétuosité de l'Esprit Saint. Oui ou non, le Baptême a-t-il fait de toi une créature nouvelle, un même être avec le Christ, a-t-il répandu en toi cette vie trinitaire capable de changer la face du monde ? Le message du Christ ressuscité est d'une simplicité déconcertante : une vraie rencontre avec Dieu produit une conversion de ton coeur, une transformation de ton être.

En te saisissant au Baptême, Jésus t'a fait renaître à une vie nouvelle, il ne t'a pas promis une récompense ou un bonheur pour demain mais une vie totalement autre, sa propre vie à lui : "En vérité, en vérité, je te le dis, à moins de naître d'eau et d'Esprit, nul ne peut entrer au Royaume de Dieu. Ce qui est né de la chair est chair, ce qui est né de l'Esprit est esprit. Ne t'étonne pas si je t'ai dit : Il vous faut renaître d'en-haut"(Jn 3, 5-7). Au coeur du message évangélique, il y a une bonne nouvelle de transformation. Ce n'est pas à cause de tes efforts que tu arriveras à ce changement mais c'est le travail du Saint Esprit en toi.

Il n'y a pas une zone de ton être qui ne subisse l'influence de cette vie nouvelle ; ton inconscient lui-même est atteint par elle. Et tu sais combien cette part mystérieuse de ton être s'empare sans cesse de toi pour orienter et dynamiser tes actes. Le Christ vit réellement en toi et sa vie tend à envahir toute ta personne et ton inconsceint lui-même. A l'intérieur de ta vie, tu expérimentes des conflits douloureux ; le péché a laissé en toi des traces profondes jusque dans ton psychisme, que tu ne pourras sans doute jamais dénouer ni effacer.

Souviens-toi de la puissance de l'Esprit : il est l'auteur de la première création comme de la seconde à la Pentecôte. Il est l'Esprit de force et de douceur , il t'invite à lui remettre toute ta vie : travail, repos, joie, souffrance et même tes conflits. Il n'interviendra pas en toi comme par un coup de baguette magique car il respecte trop ta liberté, mais il te fera reconnaître la présence de Dieu au coeur de ta vie humaine et donnera un sens à tout ce que tu vis.

Dans l'oraison, demande à l'Esprit de venir dans ta vie afin que tu deviennes une créature nouvelle en Jésus-Christ. Si tu crois assez, tu verras des choses plus grandes encore que tu ne l'espères. L'Esprit ne bousculera pas ton être mais il te donnera un regard nouveau pour consentir à ces écartèlements et les assumer dans la mort et la résurrection de Jésus ; il t'infusera la force de son amour pour que tu réduises le plus possible ces conflits. Surtout il enlèvera de ton coeur le péché qui est à la racine de toutes tes souffrances, et il te donnera la paix pour vivre harmonieusement avec toutes ces tensions intérieures. Dans la prière grandira cet homme nouveau à la taille du Christ qui gît en toi à l'état de petit enfant de Dieu : "Dès maintenant, nous sommes enfants de Dieu, et ce que nous serons n'a pas encore été manifesté. Nous savons que lors de cette manifestation, nous lui serons semblables parce que nous le verrons tel qu'il est" (1 Jn. 3,2).

VI. Dans la prière, tu t'enfonces en Dieu et tu libères en toi des profondeurs insoupçonnées.

Il y a en toi des "extrémités de la terre" encore inexplorées, des zones vierges où toutes les créations et les résurrections sont possibles si tu veux bien te laisser emporter dans ce monde mystérieux.

Ceux qui ont plongé dans les profondeurs de l'océan ont été fascinés par les splendeurs qu'ils ont contemplées. Y seraient-ils restés un quart d'heure seulement que ce monde du silence est devenu pour eux inoubliable. Et lorsque, dans la vie quotidienne, ils se voient entraînés dans les vacarmes stériles des chicaneries, des disputes auxquelles les hommes n'échappent guère, ou dans la dispersion ou l'émiettement, ils peuvent en un éclair rouvrir au fond d'eux-mêmes la mémoire toujours fraîche de ce grand silence, retrouver le calme, la paix et faire face à la difficulté avec plus de hauteur de vue, de recul, de sérénité et de grandeur d'âme.

Dans ta vie éparpillée, n'est-ce pas quelque chose de semblable qui te manque ? Parfois il t'arrive de faire l'expérience de cette plongée intérieure dans le dialogue d'amitié où s'évanouissen les duretés et les opacités de ton être obscur. Tu éprouves devant l'autre un sentiment de transparen- et de communion au-delà des mots, dans les profondeurs de ton être, sentiment qui engendre une plénitude de joie. Deux êtres surgissent alors l'un en face de l'autre dans une communion de présence qui déborde tout ce que les mots peuvent exprimer.

Une telle expérience te fait soupçonner les profondeurs qui peuvent se révéler à toi lorsque tu dialogues avec Dieu. Il n'y a pas de comparaison entre ce monde du silence qui résulte de l'expérience humaine et le monde du silence de Dieu. En effet, l'intériorité chrétienne n'est pas d'ordre psychologique ou spirituel, elle est celle que Dieu crée en toi ;il creuse en ton coeur la place large et profonde pour te communiquer sa propre intériorité. Etre né de Dieu, c'est avoir été comme repris et repétri dans le sein même de Dieu. C'est être comme revenu au monde après avoir pris un bain dans une eau profonde et lumineuse, celle de la vérité du Dieu-Amour.

Quand les questions et les complications de la vie se présentent à toi, quand tu recherches la volonté de Dieu sur toi ou quand tu désires retrouver l'unité de ta vie, tu dois pouvoir, en un éclair, rouvrir la mémoire des profondeurs de Dieu où tu es né. Dieu te fait la grâce d'avoir part à sa propre intériorité. Tu ne peux pas t'en approcher en creusant les profondeurs de ton être humain; Dieu seul peut t'y admettre par grâce. En un mot, tu dois renaître dans le sein du Père pour devenir "enfant de Dieu" (Jn. 1,12).

L'oraison est le moyen privilégié de te replonger sans cesse dans cette lumière d'où tu es né. Tu entres dans le courant de vie universelle jusqu'à la vie de Dieu. Si elle est un authentique face à face avec Dieu et non une dégustation de ton moi, la prière doit faire émerger à ta conscience les profondeurs insoupçonnées de ton être. Tu découvriras des zones de connaissance et d'amour encore inexplorées qui naîtront à la vie sous l'action du regard de Dieu. Dieu est la véritable source de ton être, plus proche de toi que toi-même.

Prier, c'est te laisser emporter dans les profondeurs trinitaires où Dieu te pétrit et te remodèle à son image. Ne sois pas surpris alors que ton être d'homme trouve une plénitude de joie et d'épanouissement. Ton être, tes pensées, tes paroles et tes actes ressemblent un peu à des paniers plus ou moins bien tressés. Pour contenir la vérité de Dieu qui est l'eau vive, tu dois les replonger sans cesse dans cette source où tu es né, sinon l'eau s'écoule et tu n'as plus qu'un être fait de choses desséchées. Ne sois pas un panier percé !

Ménage dans tes journées des temps forts de plongée en Dieu, aussi brefs soient-ils, ne dureraient-ils que l'espace d'une respiration, qui livrent à Dieu l'accès des profondeurs les plus secrètes de ta vie. Ne passe jamais une semaine sans réserver un long moment à la prière silencieuse et à la contemplation prolongée de la Parole de Dieu. Si, dans la prière, tu ne dures pas assez longtemps pour expérimenter les limites de tes forces humaines, tu ne seras jamais envahi par la prière de l' Esprit Saint. C'est pourquoi l'oraison prolongée est une nécessité de ta vie chrétienne. Il importe de déterminer le rythme de ces rencontres avec Dieu les dimanches ou les jours de repos.

VII. «Pour toi, quand tu pries, retire-toi dans ta chambre, ferme sur toi la porte, et prie ton Père qui est là, dans le secret ; et ton Père, qui voit dans le secret, te le rendra» (Mt. 6,6).

Ecoute l'invitation du Christ à te retirer dans ta chambre. Jésus fait allusion ici à un "taméïon", un cellier, c'est-à-dire à l'endroit où l'on garde des provisions. C'est là ta part de désert. Il s'agit d'une chambre retirée à laquelle aucun étranger n'a accès et qui est tout imprégnée de solitude et de silence. Il insiste plus loin sur le caractère secret de cette demeure où tu échappes au regard des hommes. Il faut que ton unique préoccupation soit de te mettre sous le regard de Dieu seul pour que ta prière passe inaperçue. Ce qui compte, c'est de prier avec une intention pure. Tu peux ainsi ménager dans ta chambre un endroit réservé à Dieu seul. Qu'il y ait une belle icône devant laquelle brûle une lampe, symbole de ta prière continuelle.

Le véritable lieu de ta prière, c'est ton coeur et non ton intelligence ou ta sensibilité. Très peu d'hommes accèdent à ce niveau profond de leur être ; beaucoup n'en soupçonnent même pas l'existence. L'Esprit Saint gît et vit au fond de ton coeur pour t'introduire dans les profondeurs du mystère de Dieu et te révéler ses secrets (1 Co. 2,10). Malheureusement tu es ligoté intérieurement par ces "noeuds du coeur" qui t'enchevêtrent dans un personnage. Tu éprouves de la difficulté à prier parce que tu grimes ton visage avec des masques. La prière est le fait d'un homme libre. Mets-toi en vérité devant Dieu, tel que tu es, surtout avec ce qu'il y a de meilleur en toi.

Et puis ferme ta porte à clef. Ne laisse pénétrer en toi aucune présence indiscrète. Fais-toi au dedans une demeure stable et solide où personne n'ait la possibilité d'entrer, de te trouver, de te déranger : silence du coeur, de l'imagination, de la mémoire, de l'intelligence et de la volonté. Bien souvent, tu souffres dans la solitude profonde devant Dieu parce que tu te découvres pauvre. Tu ne sais pas quoi faire parce que tu n'as pas de vie personnelle. Te disposer à prier, c'est faire silence aux amertumes, aux soucis, aux vains regrets, aux situations non digérées, aux affections trop sensibles.

Ce qui importe surtout, c'est de faire taire ton "moi" envahissant qui, inconsciemment, s'impose à Dieu. A la lumière de l'enseignement de Jésus sur la prière, médite ce poème tamoul que nous reproduisons en annexe. Il ne s'agit pas pour toi de faire l'expérience du vide, mais de descendre au fond de ton coeur pour communier au Dieu vivant en toi.

Car le but de la prière n'est pas de découvrir ta propre intériorité mais de te mettre devant le Père qui "perce" ton secret, avec une mentalité de fils. Entre Dieu et toi, il y a un lien plus profond qu'avec ton père de la terre. Il te voit dans un regard d'amour. Aime à demeurer dans ce grand silence sous le regard du Père. Surtout ne multiplie pas les paroles car le silence est une précaution pour l'amour. Quand on aime, on se tait devant l'autre pour le regarder simplement avec tout le désir de son coeur, sans vouloir porter la main sur lui. Tu n'as rien à dire à Dieu car le Père sait bien ce qu'il te faut avant que tu le lui demandes (Mt. 6,8).

Que rend le Père à ceux qui font silence et prient ? Il te donnera l'Esprit pour apprendre à prier : "Si donc vous, qui êtes mauvais, vous savez donner de bonnes choses à vos enfants, combien plus le Père du ciel donnera-t-il l'Esprit Saint à ceux qui l'en prient" (Lc. 11,13). Tu ne sais pas ce qu'il faut demander pour prier comme le veut le Père (Rm. 8,26). Alors l'Esprit vient au secours de ta faiblesse ; il se joint à ton esprit pour te faire crier : "Abba ! Père !" (Rm. 8,15).

Prier, c'est laisser Jésus-Christ dire à l'intérieur de ton coeur : "Père !" dans le dynamisme de son Esprit. Il te faudra dépasser bien des zones de ton être pour découvrir en toi cette vie de l'Esprit enfouie sous les alluvions de l'avoir et du paraître. Creuse profond pour détecter ce filon d'eau vive qui s'écoule du coeur du Christ dans le tien.

VIII. Entre dans l'attitude profonde du Christ et presse dans ton coeur chaque invocation du Notre Père pour exhaler tout ton amour filial.

Tu cherches une matière à ta prière ; elle est là, à portée de ta main, dans l'Evangile : "Vous donc, priez ainsi : "Notre Père...". Depuis que Jésus a appris le Notre Père aux apôtres, il n'y a plus à te casser la tête pour inventer de nouvelles prières. Aucune prière n'est plus agréable au Père que celle qui t'a été enseignée par le Fils bien-aimé. Elle a servi à des générations de croyants pour exprimer toute leur foi. Reprends sans cesse ces paroles tombées des lèvres du Christ pour les faire tiennes et les assumer au fond de toi. Elles étaient l'aliment des longues heures de prière nocturne de Jésus.

Pour bien dire le Notre Père dans la communauté des frères, il faut que tu l'aies prié au plus intime de ton coeur dans l'oraison silencieuse. Il y a un jeu perpétuel entre la parole et le silence ; c'est pourquoi il n'y a pas de prière communautaire sans le silence profond de l'oraison. La prière vocale n'a de sens que vécue et comprise. C'est l'oraison qui te permet d'en saisir le sens, sans cela, c'est du formalisme. D'autre part, l'oraison trouve dans la "vocale" sa propre régulation, et évite par elle de tomber dans le sentimantalisme ou l'illuminisme.

Ta prière silencieuse sera savoureuse si tu l'alimentes à la prière vocale. C'est ici que le Notre Père peut te servir de soutien nécessaire pour maintenir ton attention à Dieu. Il est bon que tu aies ainsi quelques formules de prière que tu connais par coeur et qui te serviront d'aliment à l'oraison.

Comme toujours, soigne bien les débuts, ne sois pas pressé de mettre en route ton cinéma psychologique ; dis une seule chose à l'oraison, mais orchestre-la de cent manières différentes ; c'est ici que tu découvriras l'importance et le bienfait de la répétition. D'abord prends conscience que l'Esprit de Jésus t'attire ardemment vers le Père. Depuis la Résurrection, cette prière si traditionnelle du Notre Père est entièrement renouvelée par l'expérience de Jésus parce que le Royaume de Dieu est là.

Quand Jésus a enseigné le Notre Père, il a nettement mis la distinction avec sa propre prière: "Quand vous priez, dites...". Il s'agit de la prière de la communauté. Aucun Juif n'aurait osé dire à Dieu : "Abba, Père" ; c'était une expression qui était réservée aux papas de la terre ; il disait : "Abbi : mon Père", ou "Abbinou : notre Père". Depuis que Jésus est ressuscité, il a envoyé dans ton coeur l'Esprit qui t'habilite et t'autorise à dire en lui : "Père". Jésus renouvelle en toi sa prière de Gethsémani (Mc. 14,16). En priant le Notre Père, il ne s'agit pas, pour toi, d'imiter la prière du Christ, mais d'une transformation de ton coeur par la prière même de Jésus qui te revêt de sa propre humanité.

En invoquant le nom du Père, tu fais émerger à ta conscience une aspiration à être fils, que tu portes vivante dans les tissus de ton coeur. Les saints comprennent bien cela ; eux seuls peuvent bien dire le Notre Père, et lorsqu'ils le disent, ils s'arrêtent à la première parole ; ils ne peuvent aller plus loin tellement ils sont happés par l'expérience de la paternité divine. Perce l'écorce du mot "Père" afin que se déchire enfin le voile et que tu savoures ce tendre abandon d'être fils de Dieu.

C'est pourquoi l'oraison ne consiste pas à méditer sur les paroles du Notre Père ; ce travail de recherche doit être fait en dehors de la prière, mais sache bien ses limites, il ne peut que te conduire au seuil du mystère. A l'oraison, profère chaque invocation du Notre Père, non seulement pour en découvrir le sens, mais pour désirer avec tout l'amour de ton coeur que cela se réalise : "Sanctifie ton Nom, fais-toi connaître comme le Dieu Saint. Fais venir ton Règne. Fais ta Volonté". Que le souffle puissant de ton coeur anime cette supplication et la fasse tienne.

En proférant ces paroles, l'Esprit Saint les intériorisera en toi. Tu les assumeras avec une intelligence spirituelle plus pénétrante. Surtout tu exprimeras toute ta capacité d'amour filial en suppliant le Père d'écouter la prière du Fils. Le Notre Père est ainsi le modèle de toutes les autres prières car il met au centre la gloire du Père tout en n'oubliant jamais les humbles réalités de la vie quotidienne car c'est à travers elles que le Royaume se construit.

A force de prier ainsi le Notre Père, tu formeras en toi un coeur de fils plus préoccupé de la sainteté du Père que de tes intérêts personnels. Laisse ton esprit et ton coeur se structurer par cette prière de Jésus. A certains jours tu ne seras pas capable de le dire tellement cette prière est exigeante. Alors appelle Jésus en toi pour qu'il renouvelle une fois encore sa prière et fais de ta misère un cri d'appel et d'ouverture à Dieu.

IX. Si tu passais toutes tes oraisons à implorer la venue de l'Esprit, tu n'aurais pas perdu ton temps.

A qui te demande de rendre compte de ta prière, réponds : "J'appelle purement et simplement l'Esprit". De même, si quelqu'un te demande de l'initier à la prière, ne l'embrouille pas avec des méthodes compliquées ; dis-lui simplement : "Demande l'Esprit", et aide-le à retrouver ce dynamisme profond, caché en lui. Tu ne peux dire : "Jésus est Seigneur", - ce qui est le fond de la prière - sans l'aide de l'Esprit Saint. Si tu reçois l'Esprit, ta prière est parfaite.

Tu peux dessiner les traits du Père et du Fils, mais l'Esprit n'a pas de visage ni même de nom susceptible d'évoquer une figure humaine. Tu ne peux pas imaginer l'Esprit ni mettre la main sur lui, tu entends sa voix au plus intime de ta conscience, tu reconnais son passage à des signes souvent éclatants, mais tu ne peux savoir "ni d'où il vient, ni où il va" (Jn. 3,8).

Et cependant lui seul peut te faire prier.

Il est au commencement, au milieu et au terme de toute prière comme de toute décision spirituelle. Tu dois donc le demander comme le don par excellence qui contient tous les autres dons. La sainteté, c'est l'Esprit Saint comblant l'Eglise et le coeur de tous les croyants. Tu ne peux que l'appeler et le supplier de venir. Il est à la source des ministères, des sacrements et de la prière.

Ne pense pas à l'appeler sur toi ou sur les autres ou même sur l'Eglise d'une manière particulière, mais appelle-le purement et simplement dans une longue supplication : "Viens !". Si tu passais toutes tes oraisons à redire ce petit mot, à prendre conscience de sa présence en toi, à l'adorer et à lui rendre grâces pour tous ses dons, tu serais en pleine prière trinitaire et tu n'aurais pas perdu ton temps.

Car tu n'as pas seulement à l'appeler de l'extérieur : l'Esprit du Christ ressuscité habite en toi, il vit au plus profond de ton coeur. Prier, c'est prendre conscience de sa présence en ranimant le feu qui brûle sous la cendre. Son action part toujours de l'intérieur et c'est de l'intérieur que tu le connaîtras : "Vous le connaissez parce qu'il demeure en vous" (Jn. 14,17). Reconnais sa présence en toi et supplie-le de déployer toute la force de son dynamisme. Les symboles utilisés pour le désigner (eau, air, vent, feu) évoquent "l'envahissement de sa présence, l'expansion irrésistible et toujours en profondeur" (1).

Quand tu appelles l'Esprit, sois comme celui qui meurt de soif au désert ; il ne pense pas au fait de boire, il se représente seulement l'eau

(1) Vocabulaire de Théologie Biblique, 1970, c.391

mais cette vue de l'eau est comme une aspiration de tout son être. Sans le savoir, tu es assoiffé de l'Esprit Saint. Approche-toi du côté du Christ ressuscité car des fleuves d'eau vive couleront de son sein. Appelle cet Esprit avec toutes les forces de ton coeur en une longue supplication : "Viens!" Il te faudra des années d'attention et de patience pour découvrir la présence de l'Esprit en toi.

Toute l'action de l'Esprit est de t'apprivoiser au Père et au Fils. Il veut te mettre en communion vivante avec Dieu pour te faire goûter et savourer sa présence. Laisse Jésus te communiquer son Esprit afin qu'en Lui tu puisses nommer Dieu : "Père !".

Tu vérifies sa présence par son action bienfaisante qui est vie et paix. Il te donne le goût de la louange pour célébrer ses hauts faits dans ta vie ; il élargit ton coeur et tes pensées en t'accordant la vraie liberté. Surtout il t'infuse la paix et la joie de Jésus en dilatant ton coeur Il va même jusqu'à pénétrer ton corps et le transfigurer en lui donnant le germe glorieux de la résurrection qui te transforme à l'image du Christ.

Crie incessamment à l'Esprit : "Viens !". Pour le recevoir, tu peux aussi te tourner vers le Père, sachant qu'en face de lui le Christ intercède en ta faveur. Tu ne peux entrer en relation avec une des Personnes de la Sainte Trinité sans l'être aussi avec les autres. Si tu as vraiment crié vers lui, n'aie aucune inquiétude, la totalité de l'amour du Père et du Fils est entrée en toi.

X. Laisse prier le Christ en toi. Tu accèdes à sa prière lorsque tu coïncides à l'élan d'amour qui l'unit au Père sous l'action de l'Esprit.

La seule vraie prière agréable au Père est celle de son Fils bien-aimé en qui il se retrouve et se complaît. Ta prière a des chances d'être accueillie par le Père si elle est celle de son Fils qui prie en toi. Accompagne Jésus dans ses longues nuits de solitude et de prière sur la montagne. Tiens-toi à ses côtés pour qu'il t'introduise dans son dialogue d'amour avec le Père.

C'est au moment où tu découvres ta radicale incapacité de prier et où tu fais l'expérience de tes limites en atteignant le point zéro, que tu peux comprendre la prière de Jésus. Mais tu peux envisager cette prière de plusieurs manières ; par exemple, unir ta prière à celle de Jésus qui enjoint à ses disciples de prier en son nom : "En vérité, en vérité, je vous le dis, ce que vous demanderez au Père, il vous le donnera en mon nom" (Jn. 16,23) Mais tu frôles alors une équivoque qui consiste à penser que la prière du Christ, parfaite en elle-même, prend le relais de ta pauvre prière d'homme. En ce sens tu demeures encore dans la dualité et l'extériorité, et tu demandes au Christ de prier avec toi et pour toi.

Mais le Christ te laisse entendre qu'il y a une seconde manière, bien plus profonde et plus intérieure, de prier le Père en son nom : "Je ne vous dis pas que je prierai le Père pour vous, car le Père lui-même vous aime parce que vous m'aimez et que vous croyez que je suis sorti de Dieu" (Jn. 16,26-27). Il ne s'agit plus de dualité entre sa prière et la tienne, mais il s'agit de le laisser vraiment prier en toi.

Jésus demeure toujours l'unique médiateur, mais ses disciples ne sont plus extérieurs à lui, ils demeurent unis à son corps, et leur prière n'est pas en-deça de sa prière, mais incorporée dans la sienne. Par la foi et l'amour, les disciples de Jésus ne font plus qu'un avec lui, et le Père les aime et les écoute parce qu'il découvre en eux les traits du visage de son Fils bien-aimé.

D'une manière plus précise, disons que la prière du Christ en toi suppose une conviction plus profonde : celle de ton identification au Christ. Affirmer que le Christ prie en toi, ce n'est pas essayer, au prix d'un effort psychologique, de reconstituer les différents éléments de la prière de Jésus pour les faire tiens. Au contraire, c'est prendre conscience, au prix d'une conversion profonde, que tu ne fais plus qu'un même être avec lui par le Baptême. Tout ce qui est à lui est à toi, et sa prière devient la tienne.

Quand tu entres à l'oraison, essaie de rejoindre cette prière de Jésus vivante en ton coeur par la foi. Tu n'en as pas conscience, mais le Christ prie réellement le Père à travers les balbutiements de ta pauvre prière. Accéder à la prière de Jésus, c'est coïncider à l'élan d'amour et à la même vie qui le relie au Père, sous l'action de l'Esprit. Tu ne peux rien comprendre à la prière de Jésus si tu l'abstrais du mystère de la Sainte Trinité. Jésus a sans cesse conscience du lien vivant qui l'unit au Père et le fait exister. Il accueille son être du Père, et en retour s'offre totalement à lui : "Tout ce qui est à moi est à toi, et ce qui est à toi est à moi" (Jn. 17,10).

Tu es saisi et happé par l'Esprit pour être configuré au Fils. A son tour, Jésus te ramène aux profondeurs du Père. C'est la vie dans le Christ qui te fait participer à sa filiation et tu ne peux pénétrer en Dieu que par lui. Au début de ta vie de prière, tu n'as pas conscience de cette vie filiale qui est enfouie en toi et tu demeures à l'extérieur de la prière de Jésus.

Un peu à la fois, tu te saisiras en relation d'amour avec le Père en Jésus et sa prière se substituera à la tienne comme il est en toi une humanité de surcroît. Alors seulement, tu éprouveras un sentiment de plénitude et de joie à l'oraison, car le Christ adorera et aimera le Père en toi. A certains moments, tu seras tellement envahi par la charité du Christ que tu auras conscience d'aimer le Père avec le coeur même du Fils. Sache alors que ta prière est pleinement accueillie et exaucée par Dieu qui ne refuse rien à son Fils bien-aimé. Ta vie quotidienne,elle-même insérée dans la vie du Christ, devient une offrande spirituelle à la gloire du Père. Et quand tu es réduit au silence de la pauvreté, c'est encore Jésus qui fait passer en toi toute la richesse de son dialogue avec le Père.

XI. Dévore et remâche la Parole de Dieu.

Tu vis aujourd'hui dans une civilisation qui est plus basée sur la consommation que sur l'assimilation. Il est normal que tu sois désorienté lorsque tu entres avec cette mentalité dans l'univers de la prière qui est basé sur la qualité et non sur la quantité. Une seule vérité de la foi contemplée et assimilée dans la paix et une grande tranquillité d'atmosphère ouvre à toutes les autres, de même qu'un point du Credo rejeté te ferme la porte à la totalité du message évangélique.

Evite cette course effrénée dans l'accumulation des textes évangéliques, ne sois pas à l'affût de la nouveauté qui produit une sensation superficielle, mais sois la terre fertile qui accueille la bonne graine de la Parole. La Parole de Dieu est un pain que tu dois savourer dans une assimilation apaisante. Cueille au passage une parole du Christ et va t'asseoir dans un coin pour la ruminer à loisir dans le silence.

Imite l'abeille qui revient aux mêmes fleurs jusqu'à épuisement du pollen. Ainsi presse le texte jusqu'à ce qu'il ne te dise plus rien. Comme le prophète Jérémie, prends le rouleau de la Parole et mange-le calmement comme un enfant déguste sa tartine au miel : "Quand tes paroles se présentaient, je les dévorais : ta parole était mon ravissement et l'allégresse de mon coeur" (Jér. 15,16).

Nous avons tous une série de textes auxquels nous revenons volontiers pour nourrir notre oraison. Tu dois connaître ton éventail et ton registre. Si tu ne sais pas revenir aux mêmes textes d'Ecriture ou d'auteurs spirituels, tu ne sauras jamais bien prier ; tu ressembleras au touriste qui veut tout voir et ne prend pas le temps de contempler, c'est-à-dire de regarder avec amour et admiration ce qu'il voit. Ne sois pas un enzyme glouton, ni un obèse spirituel.

Le monde de la prière est un monde à accueillir et à découvrir et non à capter. L'idéal de la prière est une telle simplification que tu n'aies plus besoin de sujet pour aller à l'oraison. Il te suffit simplement, par exemple, de te laisser prendre par cette conviction de l'amour de Dieu pour meubler tout le temps de la prière. Reprends d'une manière simple une oraison de la liturgie ou un psaume, et prie ce texte en le murmurant ou en le chantant. Ou alors lis lentement un texte et arrête-toi dès le moment où il commence à te parler au coeur. C'est ici que tu comprendras le bien-fondé de la remarque de saint Ignace : "Ce n'est pas, en effet, d'en savoir beaucoup qui satisfait et rassasie l'âme, mais de sentir et de goûter les choses intérieurement" (Annotation 2 des Exercices).

Prends une demi -heure pour réciter un office de "Prière du Temps Présent". Apprends à savourer une belle parole d'Ecriture comme le connaisseur de bon vin hume et déguste son verre. Surtout ne te complique pas la tâche et éprouve à l'intérieur de ton coeur que c'est agréable de prier ainsi calmement. Un peu à la fois tu adopteras les pensées de Dieu qui deviendront tiennes et ta vie reflètera les moeurs évangéliques des Béatitudes.

Si, dans la vie mouvementée que tu mènes, tu n'as pas trouvé le temps de prier au bout d'une semaine, tu dois constater qu'il y a une réforme profonde à opérer, non seulement au plan de l'organisation pratique de tes journées, mais au plan de l'être spirituel ; c'est le signe que ton amour de Dieu se refroidit ou se dégrade. En fait, as-tu le goût de la Parole de Dieu ? Quand tu as un après-midi de liberté, songes-tu à t'asseoir tranquillement pour consacrer une heure à écouter cette Parole ?

Pour que celle-ci te devienne savoureuse, il faut l'avoir lue, relue, méditée et contemplée dans le silence de l'oraison. La répétition est une loi fondamentale de la prière. Réfrène ta fringale de connaître mais assouvis ta faim profonde de Dieu. Aie toujours en réserve une bonne parole à te mettre sous la dent, pour ne pas mourir de faim au temps de disette spirituelle.

XII. Tu cherches une manière toute simple de prier, contemple l'évangile de pierre des cathédrales.

Si tu passes un jour par Chartres, arrête-toi devant le portail nord de la cathédrale. Sur la baie gauche, au second cordon de voussures, le sculpteur a reproduit les six scènes de la "Vie contemplative". On y voit la Vierge se recueillir, ouvrir son livre, lire, méditer, enseigner et entrer en extase. Au XIIIe siècle, la Bible enseignait aux hommes, d'une façon toute simple, la science de la prière. Dépasse la réalité matérielle de la sculpture, et entre dans l'attitude spirituelle profonde qui animait le coeur de la Vierge en prière.

D'abord, elle se recueille avant d'entrer en prière. Elle tient la main gauche sur le livre des Ecritures, et porte la main droite à la hauteur du coeur comme si elle voulait t'enseigner que pour prier il faut garder ton coeur pur et silencieux. Elle ramasse toutes ses pensées et toutes ses affections au centre d'elle-même, en son coeur (Ps. 131,1-2). Elle est prête à écouter la Parole de Dieu et à la garder en elle. Comme Salomon demande à Dieu un coeur silencieux qui sache écouter (1 R. 3,9). La première attitude de l'oraison est d'accueillir, d'écouter et de recevoir le bon Esprit, le don spirituel que le Père communique à ceux qui l'en prient (Lc. 11,13).

En un second temps, elle ouvre le livre des Ecritures. Geste apparemment banal et matériel qui recèle cependant une attitude spirituelle importante. En ouvrant la Bible, il ne s'agit pas de construire des théories ou des idées sur Dieu, mais d'ouvrir l'Ecriture pour recevoir la pensée d'un Autre, et non la nôtre. Nous ne faisons pas la vraie vie et la prière, nous la découvrons et nous la recevons de Dieu. Cela ne te dispense pas de lire un bon livre d'exégèse, mais il y a un autre seuil à franchir qui est de l'ordre de la gratuité et du mystère.

Elle peut alors lire, non pas pour connaître, mais pour pénétrer le sens profond des mots. Dans la Bible, il y a un au-delà des paroles qui te fait découvrir une vérité cachée, savoureuse et délectable au coeur. Dès que tu as trouvé ce que tu cherchais, imite la Vierge en refermant le livre pour ruminer intérieurement la Parole et la laisser descendre au fond de ton coeur : "J'ai mis la Parole à l'intérieur de vos coeurs" dira saint Paul. L'Esprit te fait pénétrer par intuition au-dedans de cette parole dont tu palpes la réalité par expérience : "Tu l'enfantes du fond de ton coeur comme des sentiments naturels qui font partie de ton être" (1). La lecture savoureuse et vivante de la Parole te dispose à trouver Dieu dans la contemplation. Laisse venir les choses à toi et sois devant le mystère les mains grandes ouvertes. En méditant la Parole, tu entendras soudain le Verbe de Dieu te parler à l'intime du coeur. C'est là l'oeuvre du Maître intérieur qui est l'Esprit Saint.

Ensuite la Vierge enseigne la Parole goûtée

---

(1) CASSIEN, Conférences, Conférence X - Trad. Dom Pichery, dans Sources chrétiennes, t.II, p.93.

et méditée. Dans l'Eglise, tout ministère d'évangélisation tire son origine d'une méditation attentive et priante de la Parole de Dieu. L'apôtre est celui qui aide ses frères à faire l'expérience de Dieu en Jésus-Christ. Ce n'est pas seulement une expérience du Christ dans le contact vivant et personnel, mais la transmission de l'expérience même de Jésus qui, dans sa conscience d'homme, se saisit comme Fils de Dieu : "Le christianisme est, avant tout, expérience : l'expérience qu'eut de Dieu son Père Jésus le Fils de Marie la Galiléenne, le Verbe consubstantiel du Père. L'expérience du Père dans le Christ et l'Esprit. Le christianisme est vie, la vie même de Dieu au sein de sa Trinité bienheureuse, communiquée à l'homme par grâce" (1). Comment pourras-tu transmettre cette expérience si tu ne l'as d'abord faite toi-même ? Ta parole extérieure tire sa force du verbe intérieur, de l'Esprit, déposé comme une semence au plus intime de ton être.

Et enfin la Vierge entre en extase. C'est la sortie d'elle-même pour trouver son bonheur et sa joie en Dieu. Elle ne recherche pas le repos de la contemplation pour lui-même mais pour Dieu qui est le terme ultime de sa prière. Toute prière vraie doit t'amener un jour à ne trouver de joie qu'en Dieu. Tu prieras vraiment le jour où tu seras tout occupé à adorer Dieu, à contempler son amour et à rendre grâces non seulement pour les dons qu'il t'a faits mais surtout pour la venue du Christ sur terre. Dans la prière, penses-tu aux intérêts de Dieu, à sa gloire, à l'établissement de son Règne, es-tu heureux de son bonheur, de sa joie et de sa beauté?

---

(1) Dom Henri LE SAUX, Le prêtre que l'Inde attend, que le monde attend - Carmel, 1966 - t. IV, p. 270 à 284

Un grand contemplatif, Robert de Langeac, écrivait un jour : "On ne prie bien que dans l'extase". Si tu t'exerces ainsi aux silences dans l'oraison, tu te disposes à te laisser emporter par le mouvement de l'Esprit. Tu es caché à ta propre prière et tu n'as plus conscience de prier. La véritable oraison s'accomplit toujours de nuit, dit saint Jean de la Croix. Mais il ne dépend pas de toi d'obtenir ce don de la contemplation, qui ne vient pas de tes mérites mais de la miséricorde de Dieu. Il l'accorde quand il veut et à qui il veut au moment où tu y penses le moins. Prie pour obtenir de Dieu cette vision de sa Face promise aux coeurs purs.

XIII. L'homme ne s'équilibre que dans l'amour et le don de lui-même. Le goût de Dieu dans la prière est donc nécessaire pour équilibrer ta vie chrétienne.

Le but de la prière n'est pas d'avoir de belles idées sur Dieu mais d'en venir à ne trouver de joie qu'en lui et dans l'accomplissement de sa volonté. Redisons-le, le lieu de la prière, c'est le coeur, c'est-à-dire cette partie de ton être où tu es toi-même et te donnes tout entier. Au sens biblique, le coeur est le lieu de l'expérience de Dieu ; il intègre donc tous les niveaux de ton être : intelligence, volonté, affectivité et liberté. C'est dire que l'expérience chrétienne comporte un élément de lucidité, d'adhésion affective, volontaire et libre. La prière pose donc, entre autres, la question de l'affectivité, puisque tu dois en venir à goûter Dieu.

Tu imaginerais mal un maire ordonnant par

arrêté municipal à tous les amoureux de la commune de se rencontrer une fois par semaine. Pourquoi tant de chrétiens vont-ils à la prière et à l'Eucharistie comme à un pur devoir ou à un pur exercice de réglement ? Que dire des époux qui ne se rencontreraient que par devoir ? La sécheresse habituelle n'est donc pas un état normal. Elle est bien souvent l'occasion d'aimer Dieu pour lui-même, mais si elle se prolonge tu dois t'en inquiéter et en rechercher les causes. Dieu veut être aimé dans l'épanouissement de la joie et la liberté intérieure.

Il est normal de demander les dons spirituels qui te permettent de goûter Dieu dans les profondeurs de ton coeur. La liturgie ne cesse de te les faire demander : "Remplis-nous de tes délices, donne-nous la saveur, la joie, l'amour de ta loi...". Même quand il s'agit du péché, l'Eglise te fait demander la componction, c'est-à-dire le regret amoureux de tes fautes qui est encore une manière de goûter l'amour miséricordieux de Dieu. Le but de la prière, c'est de te rassasier le coeur en te faisant goûter Dieu de l'intérieur.

Le goût de Dieu dans la prière est donc nécessaire pour équilibrer ta vie chrétienne, à plus forte raison si ta vie est entièrement consacrée à Dieu dans la chasteté. L'homme ne s'équilibre que dans l'amour et le don de lui-même ; à plus forte raison si l'objet de ce don est le Créateur et nul autre que lui. Le Créateur de l'homme est capable de combler son coeur dans le mystère des noces éternelles commencées dès ici-bas dans l'intimité de la grâce : "Ton époux sera ton Créateur" (Is. 54,5). La chasteté parfaite t'introduit dans le jardin scellé de l'intimité avec Dieu. Dans l'oraison, tu vis une union intime et personnelle avec Dieu. Si tu renonces à l'amour humain, c'est parce que tu cherches et as trouvé la perfection et la plénitude de l'amour.

Il ne t'est pas facile de comprendre cela car on a formé en toi une intelligence ou un observateur de morale et non un coeur qui se situe en face des personnes qui l'entourent. Pour bien prier il faut te situer dans une affectivité vraie qui tire sa source dans les dynamismes les plus profonds de ton être. Acceptes-tu d'aimer les autres avec ton coeur d'homme et de te laisser aimer par eux?

Tu sais bien que prier, c'est être en relation avec Dieu en Jésus-Christ. S'il t'est difficile d'entrer en relation avec les autres parce que ton affectivité est captative, tu éprouveras également un malaise à aller à Dieu avec tout ton être et en particulier à trouver en lui ton équilibre affectif. Beaucoup d'êtres sont incapables de prier parce qu'on ne leur a pas appris à rencontrer les autres en vérité.

Si tu refoules ta sensibilité, elle réclamera violemment son dû. Le dessèchement et l'irréalisme sont une conséquence de cette ignorance. A l'oraison, apprends à te situer devant Dieu avec toutes les forces de ton être. N'aie pas peur de l'aimer avec ton coeur d'homme et d'éprouver de la joie à être avec lui. Que pour toi, approcher Dieu soit vraiment ton bien (Ps. 73,28). Mais que cet amour soit vrai et oblatif et non une recherche de toi-même.

XIV. Ne t'affole pas si ton oraison est désertique, ainsi tu apprends à aimer Dieu pour lui-même et non pour les joies que tu en retires.

Dans la prière, tu n'as donc pas à avoir peur de ta sensibilité mais tu dois l'éduquer et la purifier. Accepte les expressions et les manifestations de celle-ci mais évite toute complaisance et tout repli sur toi. La joie qui accompagne le don de toi à Dieu dans l'oraison est bonne et voulue par Dieu, mais si, l'ayant remarquée, tu cherches à la faire naître de nouveau pour elle-même, sans qu'aucun objet ne la suscite, tu es impur.

Dans la prière, il faut que tu apprennes à chercher Dieu pour lui-même. A ce point de vue, les difficultés et les sécheresses rencontrées sont utiles car elles t'assurent que tu ne vas pas à la prière pour les idées et les sentiments que tu y trouves, mais pour Dieu seul. Ainsi l'oraison la plus désertique développe en toi cet attachement profond à Dieu qui te pousse à prier pour être avec lui et te donner davantage à son amour. Ce que tu demandes alors n'est pas le sentiment de l'amour mais la véritable charité qui te pousse à te livrer à Dieu réellement. Quand tu viens à la prière, tu n'as qu'une chose à apporter : le désir et la volonté d'être là devant le Père et de durer pour son amour. C'est alors qu'il faut appeler l'Esprit Saint pour communiquer à ton pauvre coeur d'homme l'amour dont s'aiment les trois Personnes de la Trinité.

Ainsi, tu opères une oeuvre de discernement et de vérification. Dans tes rapports avec Dieu comme dans tes rapports avec les autres, tu en viens à distinguer l'amour vrai de la pure émotivité dans laquelle tu enfermes trop souvent la prière et la charité fraternelle. Tu t'attaches de plus en plus à Dieu aimé pour lui-même.

S'il t'est donné de faire une véritable expérience de prière assez longue, tu apprendras à durer devant Dieu recherché et aimé pour lui-même; tu connaîtras ainsi une grande pauvreté et une désappropriation de toi et quand tu seras rentré dans la vie quotidienne, ta prière vérifiera ta relation aux autres voulus et aimés aussi pour eux-mêmes.

La loi de tout amour et surtout de tout amour spirituel, c'est l'oubli de soi pour rechercher sa joie et sa béatitude dans l'autre. Ce qui compte dans la prière comme dans la vie fraternelle, c'est le décentrement de toi pour porter toute ton attention sur l'autre. Ton regard doit être tout chargé d'amour oblatif et te centrer sur les autres. Nous sommes ici à l'opposé de Gide qui écrit dans "Les nourritures terrestres" : "Que l'important soit dans ton regard, non dans la chose regardée".

Ainsi, loin d'être un repli sur toi, la prière, comme l'amour vrai, est au contraire sortie de toi pour aller vers l'autre. Elle est don de toi à l'autre dans la gratuité, la louange et l'adoration. Seule la prière d'action de grâces peut t'aider à opérer ce décentrement. Si ta prière te rétrécit et te replie sur toi, c'est un signe patent qu'elle n'est pas vrai désir de Dieu mais recherche de toi, quelles qu'en puissent être les émotions et effusions sensibles.

Plus ta capacité humaine d'amour est grande, et plus t'est nécessaire cet équilibre affectif et cette purification. Sans le goût de la prière et de l'expérience de Dieu, il se produira un grave décalage entre ta capacité d'amour et ta vie spirituelle qui risque de demeurer grêle et adolescente. Va au Christ avec un amour simple et cherche dans la prière un entretien cordial. Ne cherche pas à avoir des idées sur Dieu mais à ne trouver près de lui que joie et paix. Tes difficultés en ce domaine seront vaincues par l'amour même. Tes moments de rencontre avec Dieu doivent être délectables, même et surtout dans les périodes où il paraît loin de toi : "L'amour doit se mettre dans les oeuvres plus que dans les paroles" (Exercices n° 230).

XV. Ne prends pas une façade pour venir à l'oraison, mais présente-toi à Dieu tel que tu es. Si tu dures longtemps devant lui, tu repartiras en joie et en paix.

Au fond, tu ne pries pas car tu as peur du contact avec Dieu, tu crains de te montrer à lui tel que tu es, comme s'il ne te voyait pas toujours et en profondeur. C'est souvent lorsque tu te découvres pécheur et pauvre que ta prière ralentit alors qu'elle devrait être plus intense. Alors tu prends une façade de petit garçon bien gentil et bien propre, et tu laisses à la porte ton péché et tes soucis. Tu lui offres un visage de plâtre et un être de coton ; comment veux-tu que le Christ imprime ses traits sur un masque ou communique sa vie à un fantôme? Il peut simplement le colorier ou l'habiller mais il ne peut pas le changer en profondeur.

Quand tu viens à la prière, tu es horriblement lourd et Dieu te semble irréel, léger et lointain. Tu arrives souvent écrasé, obsédé par des monceaux de colère, de dégoût, de rancune, de pessimisme, d'impureté. Tu te demandes comment tu soulèveras tout cela pour dégager cette petite flamme d'amour de Dieu qui brille encore en toi, puisque tu es là, devant lui, pour prier. Reste là, devant Dieu, avec ton être réel entre les mains.

Surtout ne mens pas, ne joue pas la comédie, ne fais pas comme si tout allait bien, en disant des choses sublimes : "Mon Dieu, je vous aime de tout mon coeur". Au fond, tu sais bien que ce n'est pas vrai, tu préfères que Dieu te laisse tranquille puisque tu aimes si peu sa volonté. Et puis, tu as si souvent essayé d'aimer un tel, de réaliser tel effort, et tu as lâché prise en signant un constat d'échec. Exhale devant Dieu ta pauvreté, ta souffrance et ton péché.

N'essaie pas de rétablir l'équilibre de la balance à coups de volonté ; le plateau de tes péchés est bien plus lourd que le plateau de Dieu. Surtout n'empoigne pas le fléau pour faire changer la situation d'autorité : tu risquerais de tout casser. Si tu persévères dans la prière, en t'enfonçant de plus en plus dans le mystère de la Sainte Trinité, Dieu va lui-même intervenir. Pour cela, il te faut rester longtemps à prier ; un peu à la fois tu sortiras de ton monologue pour écouter Dieu. Dieu répond, travaille et agit pendant ce temps-là: "Mon Père travaille toujours" dit Jésus. Que fait Dieu au plus intime de ton coeur ?

Il apaise ta colère, il transforme ta rancune en amour, ton pessismisme en joie et ton impureté en sainteté. En un mot, il soulève ta médiocrité, si bien que tu découvres avec stupeur que la montagne a disparu dans la mer. Un grand contemplatif, portier à la Résidence des Jésuites de Majorque, qui avait le don d'apaiser les coeurs par le seul contact de son regard, disait :"Quand je sens une amertume en moi, je la place entre Dieu et moi et je le prie jusqu'à ce qu'il la transforme en douceur" (Saint Alphonse Rodriguez).

Oui, tout a fondu sous le regard d'amour de Dieu, et tu te trouves joyeux et heureux en sa présence. Tu commences à aimer la volonté de Dieu et surtout tu aimes la vie qu'il te fait aujourd'hui car elle est l'expression concrète de sa tendresse. Tu comprends que ces obstacles insurmontables te faisaient peur parce que tu les regardais seul. Maintenant tu oses les regarder de plus près avec lui et tout est changé. Tes problèmes demeurent les mêmes, mais, en passant du côté de Dieu, ils ont changé de signe.

Une fille, connaissant des difficultés de toutes sortes, me disait un jour : "Depuis que je connais mon fiancé, mes amis ne me reconnaissent plus, je ne suis plus la même". Ses difficultés n'avaient pas changé, mais c'est elle qui était changée et qui les voyait d'une autre manière.

Dieu déçoit inlassablement tes espoirs humains pour t'ouvrir à l'espérance théologale. Il te fait renoncer à "quelque chose", c'est-à-dire à la solution magique de tes problèmes, pour t'amener à rencontrer "Quelqu'un" et pour t'ouvrir à lui. Prier, c'est toujours mourir à tes idées, tes jugements et tes volontés égoïstes pour renaître aux "idées" de Dieu, c'est-à-dire à l'amour qui jaillit de son coeur. Pour en arriver là, tu dois durer très longtemps sous le soleil de Dieu.

XVI Filtre ton coeur dans le nom du Seigneur Jésus.

Quoi que tu puisses dire ou faire, que ce soit toujours au nom du Seigneur Jésus" (Col. 3,17). Tu sens bien que cette parole de Paul serait capable d'unifier toute ta vie dans une prière continuelle, c'est pourquoi tu dois retrouver cette attitude fondamentale et traditionnelle de l'Orient. Filtre tes pensées, tes désirs, tes affections et tes rencontres dans le souvenir fréquent du nom du Seigneur Jésus. C'est à l'intérieur de ce nom, c'est-à-dire de la personne de Jésus, que tu dois drainer et filtrer ton coeur et toute ton existence.

Il y a en toi tout un flot de désirs, d'impressions et de souvenirs qui te plongent dans un tourbillon, et cependant tu es baptisé, le Seigneur Jésus habite en ton coeur par la foi et sa vie divine veut irriguer tout ton être. Alors fais remonter du plus profond de ton coeur le nom du Seigneur Jésus et développe son souvenir à l'intérieur même de tes pensées.

Laisse remonter en toi ces pensées, ne les refoule pas, mais objective-les par la parole afin de les assumer en profondeur à bras le corps. Tu expérimentes ta faiblesse ; accepte de te voir tel que tu es, et place-toi dans la confiance sous le regard de Dieu. Alors tu éprouveras à l'intérieur même de ta faiblesse la présence et la force du Seigneur Jésus. D'où la répétition incessante de la prière à Jésus dans la tradition orientale.

Dans l'oraison prolongée, le Seigneur te révélera la prière courte et simple, la "mantra", comme disent les Hindous, qu'il attend de toi tout au long de la journée. Il en est une qui nous situe bien au coeur de la Trinité et qui unit tout notre être à celui du Seigneur Jésus dans la puissance de son Esprit. Elle est essentiellement évangélique, c'est pourquoi tu peux la reprendre à ton compte : "Père, au nom de Jésus, donne-moi ton Esprit". (cf. Jn. 16,23-25).

Le Seigneur Jésus doit être présent au milieu de tout ce que tu vis, comme le dit si bien le P. Teilhard de Chardin : "Que ton humanité devienne un champ d'expérience pour le Saint Esprit". Quand tu éprouves en toi une amertume, une tentation, une tristesse ou une joie, fais-la sortir de ton coeur, mets-la entre tes mains devant le Seigneur et prie-le jusqu'à ce qu'il la transforme en paix et en douceur.

Tu ne dois jamais compter sur tes propres forces ; au contraire, dès que quelque trouble survient dans ton coeur, il faut te tourner aussitôt vers le Père et ne cesser de l'invoquer jusqu'à ce que son Esprit vienne apaiser ton inquiétude. A certains jours, tu auras à prier des heures pour retrouver la paix, mais si tu acceptes de voir la réalité en face, Dieu fera de l'obstacle un moyen de le trouver. N'oublie jamais cette parole du Christ qui te permettra de transporter des montagnes dans la mer : "Tout ce que tu demanderas dans une prière pleine de foi, tu l'obtiendras" (Mt. 21,22).

Que cette attitude soit courante dans ta vie. C'est là une perte de toi-même, de tes pensées et de tes désirs pour suivre le Christ en portant ta croix. C'est l'Esprit des Béatitudes qui plonge dans la pauvreté de l'esprit d'enfance. En venant ainsi en ton coeur, Jésus te communiquera son attitude fondamentale qui est une dépossesion de lui-même pour s'en remettre au Père et s'offrir à l'action de son Esprit. C'est là que tu trouveras les véritables sources du rafraîchissement, et dans cette remise continuelle de ton être à Dieu, tu libéreras des sources d'énergie pour le trouver en toutes choses, pour regarder au-delà des êtres et des événements et vivre déjà une parcelle d'éternité.

Dans la vie, tu peux être privé des sacrements, de la prière prolongée et des moyens normaux par lesquels Dieu te communique sa grâce, mais tu n'es jamais dispensé de t'en remettre à Dieu à l'intérieur de ton coeur pour qu'il le purifie par son Esprit. C'est cela filtrer son coeur dans le souvenir incessant du Seigneur Jésus ; c'est la seule façon d'envisager l'examen de conscience. Ainsi tu réaliseras l'union à Dieu à même ton existence, et tu passeras au Père, dans le Christ, avec armes et bagages.

XVII. La prière est le fait d'un homme libre. Elle suppose que tu hiérarchises progressivement toutes les zones de ton être, en assumant de l'intérieur tes difficultés.

C'est au moment où tu entres dans une prière purement contemplative, faite de louange, d'admiration ou de compassion, que tu éprouves le bien-fondé des conditionnements humains de la prière. Jusque là, ton esprit s'adonnait à une activité fébrile, ta volonté élaborait des projets, toutes tes forces étaient investies dans la zone cérébrale de ton être. Et voilà que soudain tout s'apaise dans cette partie supérieure de ta personne ; tu découvres que ton être d'homme a une consistance réelle et qu'il serait dangereux de refouler ses exigences sous prétexte de prier avec ton seul esprit.

Bien des êtres désirent prier et en sont incapables à cause d'un déséquilibre profond de leur personne. Ne pense pas trop vite qu'il s'agit là d'épreuves spirituelles ou de nuits de la foi. La tentation est grande alors de transposer au plan spirituel les zones encore inexplorées de ton être que tu refuses de voir. Il y a des conditions psychologiques naturelles qui empêchent ou perturbent la prière. Ainsi des êtres n'ayant pas accepté ou découvert leur sexualité, ou, ce qui revient au même, ne parvenant pas à la maîtriser ou à l'assumer, apparaissent incapables de maturité affective, c'est-à-dire qu'ils ne peuvent sortir de leur propre subjectivité pour vouloir l'autre tel qu'il est. Bien souvent leur faculté de raisonnement prédominante leur fait intellectualiser ces conflits pour les transposer au plan de la foi. Leur difficulté à rencontrer le Christ comme personne vient souvent d'une impossibilité à être vraiment en relation. La prière est alors impossible à de tels êtres incapables de don.

En lisant ces lignes, ne fais pas le procès de l'autre car nous avons tous, par certains côtés, quelques traits de ressemblance avec ce portrait. Tu éprouves le besoin de prier et tu en es incapable à cause de tes limites humaines. Avant tout, essaie de comprendre, n'aie pas peur de la vérité et ne te décourage pas. Ne pense pas qu'il suffit de faire effort pour en sortir ou de te laisser aller en pensant que c'est une épreuve qui passera demain.

Il faut que tu mettes l'effort là où il doit être mis. On ne guérit pas un malaise en luttant au niveau des symptômes mais en s'attaquant à la cause. Ainsi, bien souvent, on te conseille le mécanisme de la contre-position ; il te faut alors, à la lumière du raisonnement, faire assez d'effort pour sortir de ta faiblesse et apprendre à prier. Tu oublies alors de te rééduquer en profondeur. Ne crois pas que tout dépend du raisonnement et de la volonté ; le problème est plus profond. Les résolutions du bon sens risquent d'enjamber une interrogation essentielle. Au fond de toi, il y a une réalité vivante, un dynamisme affectif qui conduit ton existence de l'intérieur et lui donne son sens. Le sens de ta vie est une action quotidienne de Dieu en toi. Il s'agit de te tourner vers elle, de la comprendre et de la servir et non de l'enjamber. Il ne s'agit donc pas de décider mais d'entendre.

Si tu veux sortir d'une difficulté ou te dégager d'un état pénible, il faut d'abord t'asseoir dedans et les souffrir ; non pas les rejeter ni essayer de te refabriquer toi-même en dehors. Par exemple, s'il s'agit d'une difficulté affective, tu dois laisser monter à ta conscience claire tout ce dynamisme instinctif qui gît au fond de toi, sans lui opposer de forces de barrage. Tu l'accueilles, tu l'acceptes, et tu le vis en orientant ces forces dans un amour oblatif de Dieu et des frères, parce que c'est une réalité actuelle et qu'elle contient en germe le sens caché de ton avenir.

L'expérience montre qu'on n'échappe pas à un problème. Si tu parviens à l'écarter au plan psychologique, il reviendra sous d'autres formes ou par l'intermédiaire des événements extérieurs. Il ne sert à rien de sauter dehors car la difficulté signifie qu'un pan de la réalité humaine demande à être accepté et intégré. Il faut tenir cette difficulté telle qu'elle est, s'enfoncer dedans, la souffrir jusqu'au bout. Habituellement tu en sortiras par le fond.

Cela ne veut pas dire que la prière n'est possible qu'aux êtres équilibrés. Du reste, il n'en existe pas ; tous les hommes sont en tension d'équilibre, et nous avons tous des croix intérieures très lourdes à porter. Mais il faut accepter sa réalité d'homme avec tous ses déficits et ses conflits. Si tu les vis de l'intérieur, sans les ignorer, tu permets au Christ de les assumer comme des forces de résurrection et de salut. Ta vie de prière doit s'enraciner dans un équilibre toujours remis en question. Tant que cela n'est pas mis en place, tu ne peux pas prier en vérité.

XVIII. Pour que la prière ne soit pas une dégustation de ton «moi», mais un véritable amour du Père, entre dans le monde de la louange et de l'adoration.

Nombre de nos contemporains délaissent la prière pour se consacrer à des tâches qu'ils estiment plus urgentes. Ils sont facilement en garde contre les expériences personnelles qui risquent d'écarter les hommes d'un contact tout objectif avec la personne du Christ dans la liturgie ou le service des frères. Cette réaction est valablement inspirée par le dégoût des songe-creux de la prière, de ces hommes qui vivent plus à l'écoute d'eux-mêmes que de la Parole de Dieu.

Toi qui pries, tu n'es pas à l'abri de ce reproche. Tu es toujours tenté de mettre ton expérience au centre et de juger la qualité de ta prière par l'intensité de ce que tu ressens. S'il est bon que tout ton être soit engagé dans la relation avec Dieu, sache que la véritable loi de la prière est de t'oublier tellement que Dieu puisse occuper tout le champ de ta conscience. Tu prieras vraiment de "nuit", c'est-à-dire lorsque tu n'auras plus conscience de parler à Dieu et que ce mouvement sera devenu "naturel" pour toi. Il faut que la prière imprègne les couches inconscientes de ton être et qu'elle t'habite même durant le sommeil. En te réveillant le matin, elle apparaîtra avant toute autre pensée. Quand tu parles vraiment à un ami, tu ne l'importunes pas avec tes questions, mais tu es totalement centré sur lui, sur ses joies ou ses souffrances.

Dans ta prière, il te faut sans cesse passer d'une dégustation de ton "moi" à une contemplation aimante du "Toi" de Dieu. Le mouvement vers Dieu ne peut être qu'une sortie de toi pour aller vers le Dieu Tout-Autre. Rien n'est moins subjectif que la véritable expérience de prière si tu sais la dégager des expressions maladroites dans lesquelles elle se livre souvent.

La vraie prière commence au moment où tu pénètres dans l'objectivité de Dieu, où tu t'effaces devant l'objet de ton amour. Tu es tendu vers lui de toutes les forces de ton être. Surtout ne prête pas trop vite l'oreille à ceux qui disent que le service des autres est la forme la plus haute et la plus pure de la prière. Tu sais bien qu'on peut se rechercher éperdûment dans des besognes soi-disant plus réalistes et plus altruistes. La prière te donnera de vérifier si c'est bien Jésus-Christ que tu sers dans les événements et les frères. Le jour où tu prieras pour Dieu seul tu n'auras plus de difficulté à aimer les autres pour eux-mêmes.

Si tu veux briser ainsi le cercle de ta subjectivité et éviter tout narcissisme spirituel, entre dans le monde de la louange et de l'action de grâces. Tu seras désorienté au début car ta petite personne ne sera plus la référence centrale de ta prière. Qu'à l'oraison, le Dieu Amour soit l'unique objet de ta contemplation et de tes désirs. Bannis résolûment le "je" et le "moi" pour t'ouvrir à Dieu, au plan rédempteur du Christ et aux intentions de l'Eglise.

Quand tu auras découvert l'amour infini de Dieu pour le monde, tu ne penseras plus à tes sentiments étroits, tu seras tout occupé à admirer, à chanter et à louer cet amour. Tu vivras en lui et tu te perdras dans cet infini. La prière naît vraiment de la contemplation de l'Amour ; ne prétends pas la tirer de ton propre fond.

C'est pourquoi l'Office divin où tu es tout occupé à chanter les merveilles de Dieu pour son peuple doit devenir le coeur de ta prière et même de ton oraison la plus secrète. C'est cette louange qui commence ta journée et qui offre ton être à Dieu en sacrifice spirituel. C'est encore elle qui t'introduit dans l'oraison silencieuse de la nuit. Après tu pourras répondre à l'amour de Dieu en lui exprimant tes propres sentiments, mais là encore ta prière sera une actions de grâces car tu feras remonter vers le Père la vie divine qu'il a déposée en ton coeur gratuitement.

Que ta prière ne soit pas un repli sur toi, mais une présence, une ouverture et une communion avec Dieu. Aime à prier avec le Gloria, le Sanctus et le Magnificat : on n'y chante que la gloire et l'amour de Dieu. Tu célèbres ainsi les grandes choses que Dieu opère dans la pauvreté de ses serviteurs. Dans la prière, cesse de parler de toi à Dieu, mais laisse-le te parler un peu de lui, de son amour. En un mot, sois heureux de sa joie, de son bonheur et de sa beauté. Aime la prière qui ne parle que de Dieu.

XIX. Lorsqu'un homme est envahi par Dieu, personne ne peut entrer en contact avec lui sans être transformé intérieurement.

As-tu déjà rencontré un véritable homme de prière, un être qui a pris Dieu au sérieux et qui a subi l'initiation du Buisson ardent ? Si oui, tu comprendras les paroles que je vais essayer de dire maladroitement. Il ne t'est pas possible de le rencontrer, d'entrer quelque peu en relation avec lui sans subir la même initiation : "Parmi les choses humaines, dit Simone Weil, rien n'est aussi puissant pour maintenir le regard appliqué toujours plus intensément sur Dieu, que l'amitié pour les amis de Dieu" (1).

Ces hommes sont rares parce qu'il y a peu de vrais contemplatifs qui savent vivre la tête au ciel et les pieds sur la terre. Et puis cela exige tant de purification, de silence et de prière, que la plupart des hommes fuient le contact avec Dieu ; ils ont peur d'y laisser leur peau et leur sécurité. Mais si Dieu te fait la grâce de rencontrer un de ces hommmes, ne manque pas l'occasion d'entrer en relation avec lui. Ne l'aurais-tu rencontré qu'une seule fois en profondeur, tu en sortirais transformé, et dans la suite de ton existence tu vivrais

---

(1) Simone WEIL, Attente de Dieu, p. 42.

de ce contact et de ce souvenir.

Le service que rendent ces hommes à l'Eglise et au monde dépend de leur communion avec Dieu. Ils sont présents au monde et aux hommes au lieu même où ceux-ci prennent leur source. Le monde n'a jamais eu tant besoin de ces témoins enracinés dans l'éternel qui donne stabilité et consistance à nos vies.

C'est l'Esprit Saint qui mène ces hommes loin de tout, au-delà de tout, fixés dans les profondeurs trinitaires. Ils sont enracinés en Dieu, en plein coeur de l'être. Chaque jour, ils poussent plus avant dans le mystère, et c'est pourquoi ils te rejoignent si bien, car ils dépassent tes apparences d'avoir, de pouvoir, de savoir et de paraître, pour te dévoiler ton être profond dont tu ignores bien souvent l'existence. Ils ne plongent dans l'océan de l'Esprit que pour rapporter les dons les plus excellents aux hommes affligés. Le service d'un saint caché en Dieu n'est pas un quelconque service social ou humanitaire, mais un authentique ministère spirituel.

Il suffit de les rencontrer pour découvrir ton être véritable et surtout pour comprendre ce que tu dois faire. Tu n'as même pas à leur demander conseil ; il suffit de te laisser regarder par eux, car ils communient au regard de Dieu et te révèlent ta propre identité. A certains jours, tu te poses des questions, tu es opprimé par ton péché, voire même écrasé par ta misère ; viens alors vers l'homme de Dieu, ne commence pas à lui raconter ton histoite mais sois là, ouvert devant lui, en silence dans les profondeurs de ton coeur. Henri Bergson a écrit, à propos des mystiques chrétiens : "Il leur suffit d'exister, leur existence est un appel". Le saint te comprend sans parler, il te regarde comme nul autre ne peut le faire et dans son regard tu comprends tout. Tes questions, tes doutes et ton inquiétude disparaissent sans que tu saches ni comment ni pourquoi. Dom le Saux parle ainsi de l'abbé Monchanin : "Quand on l'avait rencontré, ne fût-ce qu'une seule fois, on ne pouvait oublier son regard direct et pénétrant qui vous permettait en retour de communier à son âme. Il vous attirait immédiatement dans les profondeurs de la vie intérieure, au centre même de la vie divine; jusqu'au coeur de la vie trinitaire. Et cela, il le faisait avec une étonnante simplicité" (1)

Au fond, c'est le regard de Dieu qui se reflète dans le regard d'un de ses amis. En toute vérité, tu peux dire que tu as vu Dieu dans un homme, mais une telle expérience n'est possible que si tu es ouvert à Dieu et désireux de le voir. C'est du moins ce que nous dit Maître Eckart : "Lorsqu'un homme est entouré de Dieu, et qu'il rayonne d'un amour désintéressé pour Dieu, personne ne peut entrer en contact avec lui, s'il n'est lui-même en contact avec Dieu".

Notre monde a un impérieux besoin de ces hommes de prière, témoins de Dieu. On n'attend pas d'eux qu'ils parlent beaucoup pour résoudre nos problèmes, mais qu'ils existent. Leur être est déjà une réponse à toutes nos questions. Les chrétiens parlent encore beaucoup de Dieu, ils font même beaucoup de choses pour lui, mais très peu acceptent de n'exister que pour lui dans une vie d'adoration et de louange. Si tu as la chance de rencontrer un de ces hommes de Dieu, ne serait-ce pas un appel pour qu'à ton tour tu deviennes ce relais de Dieu au mi-

---

(1) Extrait d'une lettre intitulée :Le don de l'Inde.

lieu de tes frères ? Bien sûr, tu ne seras pas dispensé d'agir pour leur service, mais ta véritable diaconie sera de leur montrer Dieu dans la peau d'un homme.

XX. Entre résolument dans le soir et abandonne-toi au repos de la nuit ; comme la prière, la nuit est une ouverture confiante au dessein d'amour de Dieu.

Tu appartiens à une civilisation où l'on commence à vivre à 21 h., mais sache te réserver quelques soirées par semaine et surtout tes soirées de repos et de vacances, consacrées à ne vivre que pour Dieu. D'abord, apprends à ne pas subir le temps mais à l'assumer et à le maîtriser en entrant résolument dans la nuit comme si tu pénétrais dans un temple silencieux. Dès la tombée du soir, formule longuement et intensément, dans ton coeur, ce choix d'être uniquement en présence du Très-Haut avec le désir ardent de contempler sa face. C'est peut-être ce soir qu'il viendra à ta rencontre pour t'inviter aux noces éternelles. La nuit est tout ombrée de la présence silencieuse de Dieu. C'est un temps où tu n'admets en toi que ce qui nourrit ta prière ; toute autre présence indiscrète doit être bannie impitoyablement.

Plus tu avances dans la soirée et plus tu dois te simplifier afin d'entrer calme et paisible dans le repos de la nuit : "En paix, je me couche, aussitôt je m'endors ; Toi seul, Yahvé, tu m'établis en sûreté" (Ps. 4,9). Ton corps lui-même participe à cette pacification intérieure, car il faut entrer dans la nuit comme dans la prière, détendu et pacifié. Après une journée de travail, la nuit est un temps de détente profonde pour toi. L'Ecriture t'apprend surtout à veiller car le Seigneur vient souvent te visiter au cours de la nuit : "Ainsi donc tenez-vous prêts, vous aussi, car c'est à l'heure que vous ne pensez pas que le Fils de l'homme viendra" (Mt. 24,44). La nuit te fait communier aussi à l'agonie de Jésus au jardin de Gethsémani, si tu sais veiller et prier avec lui.

Surtout sois attentif et tout disposé à te laisser instruire par Dieu car la nuit est un temps privilégié où il te parle au coeur : "En vain tu avances ton lever, en vain tu retardes ton coucher, mangeant le pain des douleurs, quand il comble son bien-aimé qui dort" (Ps. 127,2). Au cours de ce sommeil mystérieux, tu exprimeras les profondeurs de ton coeur qui, sans cela, seraient peut-être refoulées.

Et puis le sommeil de la nuit te révèle une vérité profonde pour ta vie spirituelle. Tout au long de ta journée, tu as gouverné ta propre vie, prenant des décisions libres et exerçant tes forces. Et voilà qu'au seuil de la nuit, tu es obligé de t'abandonner et de te laisser faire par cette force puissante du sommeil que tu ne commandes pas mais que tu accueilles. C'est l'image de ta vie spirituelle qui est avant tout une docilité entre les mains de Dieu. Là encore tu dois te laisser faire et aimer par Dieu, sans vouloir mener le gouvernail.

C'est pourquoi tu dois intégrer ton sommeil dans ton comportement d'homme, et l'assumer de l'intérieur. Lorsque tu entres en prière, tu ne fais rien d'autre que de te rendre ouvert et disponible au dessein d'amour de Dieu qui te transforme à ton insu. Tu sais bien que prier, c'est laisser le Christ vivre et prier en toi son Père. Ainsi quand tu t'endors, tu te remets totalement entre les mains de Dieu : "Entre tes mains, Seigneur, je remets mon esprit". Si tu le pries, il y déposera son Esprit Saint, et ton repos nocturne se convertira en prière.

Il n'est pas étonnant qu'en te couchant tu éprouves en toi un appel pressant à prier pour rendre grâces à Dieu de cette journée, pour te purifier de tous tes péchés et pour lui confier ton sommeil. Ainsi tu t'abandonnes au mystère d'amour qui ne cesse de t'envelopper : "Que je marche ou me couche, tu le sais, mes voies te sont toutes familières" (Ps. 139,3). N'oublie jamais que si ton esprit est baigné dans la prière en te couchant, tu retrouveras au matin une première pensée d'amour pour Dieu. Ainsi tu te couches, ainsi tu t'éveilles: "Sur votre couche méditez, mais silence ! Offrez de justes sacrifices et soyez sûrs de Yahvé" (Ps. 4, 5-6). Parfois aussi Dieu t'accordera de longs moments de veille au cours de la nuit pour que tu puisses poursuivre ton dialogue avec lui. A l'exemple du Christ et de tous les grands saints, l'oraison nocturne fait partie intégrante de la vie intense de prière.

Si tu t'endors ainsi en priant, tu échapperas aux ténèbres de la nuit, signes avant-coureurs de la mort. Les anges de Dieu veilleront sur toi. Ton sommeil paisible et détendu établira une communication avec les profondeurs de ton être où Dieu habite et ne cesse de construire ta personnalité libre.

XXI. Tu ne seras pas en peine de prier si tu es vraiment en relation avec tes frères.

La prière est facile le jour où tu expérimentes le sens tragique de ton existence, que tu sois en danger ou que tu te découvres pauvre et pécheur. N'en va-t-il pas de même quand tu communies réellement à la vie de tes frères ? N'est-ce pas le jour où tu as saisi toute la détresse de ton frère ou sa joie que tu pries avec lui et pour lui en vérité ? A ce moment-là, la prière naît spontanément à tes lèvres comme un cri de détresse ou d'admiration lancé vers Dieu.

Bien souvent ta prière est sans vie parce que tu n'es pas en relation avee ceux qui t'entourent. Tu continues à agir, voire même à rendre service aux autres, mais tu n'as pas encore perçu leur situation réelle. Tu en restes à un stade où les hommmes se divertissent ou jouent un personnage. Tais-toi devant eux mais garde ton coeur ouvert pour saisir au-delà de leurs mots leur détresse existentielle. Peut-être te demandent-ils du pain, un service matériel, ou n'ont-ils besoin de rien, mais s'ils te parlent c'est qu'ils ont faim de ton sourire et de ton amitié et, en définitive, de Dieu.

Tu prieras vraiment le jour où tu devineras au-delà des paroles de tes frères leur faim d'amour. Lorsqu'un homme souffre, tu ne peux rien dire pour le consoler car tu ignores sa souffrance réelle ; il ne la connait pas vraiment lui-même. Il te demande simplement d'être là en silence à ses côtés, à le regarder et à l'aimer intensément. Ta prière commence le jour où tu es sensibilisé à cette souffrance pour la crier vers Dieu dans la supplication et l'intercession.

Si tu veux prier, commence à être attentif à tes frères. Sois accueillant et silencieux devant eux, écoute-les en profondeur, en discernant, au-delà de leurs paroles, la souffrance ou la joie qu'ils ne parviennent pas à exprimer. Laisse tout cela pénétrer dans ton coeur, efface-toi devant l'autre ; c'est cela, perdre sa vie pour ses frères. En un mot, tes frères doivent habiter en toi d'une présence vivante, active et chaleureuse. Dans la prière, tu recueilleras la voix de tous les hommes pour la faire monter vers Dieu.

Il en ira de même pour tes frères lointains. Ne lis pas le journal en touriste, ne regarde pas la télévision en dilettante, mais chaque fois, essaie de communier à la vie réelle de tous ces hommes dont tu perçois les échos extérieurs dans les moyens d'information. Ta prière deviendra riche de toute cette vie du monde.

D'abord, elle se fera supplication pour ces hommes qui souffrent spirituellement et matériellement. Tu comprendras que ce qui leur manque le plus, ce ne sont pas tant des moyens de vivre que des raisons de vivre. Ils ont surtout faim de lumière et de la vie de Dieu. Intercède et supplie pour eux afin qu'ils la reçoivent du Père au fond de leur coeur. Ayant vu en profondeur la souffrance de tes frères, tu ne pourras pas te contenter de prier pour eux mais pour que ta prière soit vraie tu auras à t'engager réellement à leur service.

Tu seras aussi témoin de leurs découvertes et de leurs joies. Chaque progrès dans la connaissance et l'amour, aussi profane soit-il, doit te plonger dans l'émerveillement et la gratitude.

Saint Thomas dit quelque part que toute étincelle de vérité, d'où qu'elle vienne, est suscitée par l'Esprit Saint. Si tu sais écouter tes frères et contempler le monde, tu verras affleurer la gloire de Dieu à travers la création. Alors tu pourras chanter ses louanges, le glorifier et lui rendre grâces. Tu éviteras l'orgueil qui consiste à penser que tu as fait quelque chose de grand. L'homme de prière fait sans cesse remonter vers le Père les merveilles qu'il lui a donné d'accomplir.

Si tu sais te faire solidaire de tout homme et du monde entier en l'assumant en profondeur et non seulement en arrêtant ta curiosité à l'écorce des événements, tu feras de ta vie une prière continuelle, car tu expérimenteras la présence cachée de Dieu au coeur des événements, et, quand tu seras à l'oraison, il te suffira d'entrer encore plus profondément dans ces situations pour faire tienne la voix de tes frères : "Et quoi que vous puissiez dire ou faire, que ce soit toujours au nom du Seigneur Jésus, rendant, par lui, grâces au Dieu Père !" (Col. 3,17).

XXII. En entrant à l'oraison, ne laisse pas ton corps à la porte. Il te ferait sentir durement ton impolitesse.

De même que ta prière suppose une rééducation progressive de ton psychisme, elle demande aussi une intégration de ton corps dans l'acte même qui te situe devant Dieu. C'est le conditionnement de l'oraison. Tu ne sauras jamais bien prier si ton corps ne participe pas aux sentiments profonds de ton coeur, et l'aide à s'y maintenir. Ton corps ne fait pas seulement qu'exprimer tes sentiments ; il leur donne aussi consistance et les renforce. Ta prière prend réellement corps dans tes attitudes extérieures. Quand tu es fatigué, par exemple, et que tu ne parviens pas à fixer ton esprit, ne fais pas d'efforts désespérés pour construire une prière bien charpentée, mais contente-toi d'exister là sous le regard de Dieu et pour lui. Sois tout entier dans toutes les parties de ton corps, ou, en marchant calmement, respire profondément pour Dieu.

Il y a des conditions très simples pour favoriser la prière. Celle-ci suppose une vie organisée, sans fièvre,et une sécurité affective. Pour orienter habituellement ta pensée vers Dieu, il te faut de la détente, du sommeil, une nourriture saine et bien équilibrée. N'entre pas à l'oraison l'esprit agité ou préoccupé : "On se reposera un peu l'esprit, assis ou en se promenant, comme il semblera meilleur, en considérant où l'on va et pour quoi faire" (Exercices n° 239). Saint Ignace conseille au retraitant qui entre en prière d'apaiser préalablement son corps et son esprit par une marche calme et une respiration profonde où l'on se désencombre le coeur et l'esprit, l'attention tout orientée vers Dieu.

Choisis alors un endroit paisible et silencieux, à l'abri de tout regard indiscret : le lieu idéal de ta prière est, bien sûr, ta chambre, mais tu peux aussi aimer prier dans un oratoire où le Christ est présent dans l'Eucharistie. A certains jours, tu as besoin de cette présence réelle et objective du Christ pour que ta prière ne divague pas dans le vide. C'est à ce moment-là que tu dois utiliser tous les registres de ton corps pour entrer en vérité dans la prière.

Tu peux, par exemple, rester debout et immobile durant cinq ou dix minutes, les mains étendues le long du corps dans une attente disponible de Dieu, ou les mains élevées à la manière des orantes primitives, ou te mettre à genoux, assis sur les talons, ou t'appuyer le dos contre un mur, ou, si tu es fatigué, t'asseoir, les mains ouvertes sur les genoux, dans l'attitude du pauvre qui supplie Dieu de l'écouter. L'essentiel est de trouver le moyen qui te convienne pour t'établir en profondeur sous le regard de Dieu et dans le sentiment de sa présence. De ta part, cela suppose un état de profonde humilité dans la prise de conscience de ton péché.

Dirige intérieurement ton regard sur Dieu dans un grand recueillement ; c'est tout ton être qui se donne et se détend en Dieu, en sorte que rien ne lui échappe. L'attitude recueillie de ton corps empêchera ton esprit de se disperser dans les choses qui t'environnent. Surtout veille à ne pas trop bouger quand tu as trouvé une position qui te satisfait, sinon tu risques de perdre ce sentiment fragile que Dieu te donne de sa présence. Que cette attitude silencieuse ne soit pas rigide et n'engendre pas le dégoût. Quand tu contemples le Christ dans ses mystères, et plus particulièrement dans l'Eucharistie et la Passion, évite de marcher. La marche aide la réflexion quand tu dois appliquer ton esprit à recevoir une vérité supérieure de l'Evangile comme la Croix ou les Béatitudes. La prière contemplative demande un grand repos et un grand silence, ou alors elle se fait dans une marche paisible et tranquille.

C'est aussi le moment d'appliquer ton esprit et ton coeur à ce que tu veux contempler, par exemple, le Christ s'offrant au Père à l'agonie, car ton regard intérieur doit se porter sur une réalité bien précise, mais une seule vérité contemplée doit nourrir ta prière et t'ouvrir aux autres aspects du mystère du Christ. Saint Grégoire Palamas conseille alors de trouver le lieu du coeur pour y faire descendre l'esprit ; saint Ignace, lui, conseille de prier "comme en mesure, d'une respiration à l'autre" : chaque respiration peut ainsi exhaler une prière.

Toutes ces attitudes peuvent te paraître multiples ou artificielles. Ne dis pas trop vite qu'elles sont inutiles : commence par les expérimenter et tu recueilleras alors le fruit désiré. Au début, elles te demanderont un certain effort, mais ensuite tu y trouveras souplesse et détente. Tu comprendras enfin qu'il n'y a pas de distinction entre ton corps et ton esprit car tu es tout entier en état de prière.

XXIII. Pénètre au coeur du monde et tu trouveras Dieu.

Pénètre au coeur de Dieu et tu trouveras tes frères.

"Adieu, dit le renard. Voici mon secret, il est très simple : on ne voit bien qu'avec le coeur. L'essentiel est invisible pour les yeux" (Le Petit Prince). Malheureusement tu en restes toujours à l'écorce des choses, à leur aspect extérieur ; c'est pourquoi tu opposes présence à Dieu et présence aux hommes. Lorsque tu demeures à la surface du monde, tu es déchiré par les éloignements et les oppositions. Ton corps lui-même, qui te permet de rencontrer les autres, est aussi ce qui te divise et te cloisonne. L'opacité de ta chair rend difficile la transparence entre les personnes. Il en va de même si tu en demeures à l'aspect visible de la prière, ce qui risque de te faire vivre dans l'illusion. Tout cela, c'est l'aspect décevant de la surface.

Laisse la surface et traverse les zones visibles de l'extériorité pour rejoindre les autres par le dedans. C'est au-delà des mots et des étreintes charnelles, au plan de l'être profond, que se réalise la communion d'amour. L'opacité des corps se réduit, les distances s'effacent et le temps s'abolit. Lorsque tu atteins cette source de l'être, ce foyer universel d'où jaillit toute pensée et toute activité libre, tu découvres alors que ce dedans des personnes et des choses n'est pas ton oeuvre, mais le don continu que te fait de lui-même Celui qui est. Quand tu te détaches de tout ce qui passe (c'est cela le vrai détachement chrétien), et que tu descends en ces profondeurs, tu t'éprouves en dehors du contingent, de l'éphémère et du rien, et tu goûtes la paix de Dieu.

En atteignant ce point de l'homme où il est enraciné en Dieu, tu rejoins la source de l'acte créateur et tu travailles à son véritable épanouissement. Ainsi, en pénétrant au coeur du monde, tu ne délaisses pas les réalités terrestres ; bien au contraire, tu les fondes dans leur être ultime. C'est pourquoi l'amour vrai de l'homme dans sa réalité même et dans la profondeur de son être doit t'ouvrir au sens de Dieu.

De là découle également une conséquence pour ta prière. Bien sûr, tu dois prier sur les événements du monde et sur des visages, mais ne mesure pas la valeur de ta prière et la qualité de ta relation aux autres à l'intérêt que tu accordes aux faits divers et aux films d'actualité. L'essentiel est de rejoindre les autres dans leurs aspirations profondes : "Le don réel que nous avons fait de nous-mêmes aux autres dans l'ensemble de notre existence compte plus pour assurer leur présence en notre oraison que tous les cinémas que nous faisons de leurs visages" (1). "Celui-là seulement entre en communion de vérité avec ses frères et avec le monde, dit Dom le Saux, qui a pénétré au-dedans de soi, au-delà de soi, jusqu'au lieu de ses origines, jusqu'à Dieu lui-même, jusqu'à l'éternelle naissance au sein du Père du Verbe divin, car il les a découverts enfin, non plus là où ils apparaissent et semblent être, mais là où ils sont en vérité".

De même, quand tu t'enfonces en Dieu dans la prière, tu ne quittes pas le monde, du moins si ta prière est vraie et si elle te plonge en Dieu. Ne crois pas ceux qui te disent que le service de Dieu t'empêche d'être donné corps et âme à tes frères ; ce langage appartient au "psittacisme religieux" de notre époque. En Dieu et par Dieu, tu es en contact vrai avec le monde et les hommes. Comme dit Teilhard, tu les rejoins "par la pointe la plus vulnérable, la plus réceptive, la plus enrichissante de leur substance".

> "Etablissons-nous dans le milieu divin. Nous nous trouverons au plus intime des âmes, et au plus consistant de la Matière. Nous y découvrirons, avec la confluence de toutes les beautés, le point ultra-vif, le point ultra-sensible, le point ultra-actif de l'univers. Et, en même temps, nous éprouverons que s'ordonne sans effort, au fond de nous-mêmes, la plénitude de nos forces d'action et d'adoration" (2).

---

(1) BESNARD, Propos intempestifs sur la prière, Cerf 1969, p. 131.
(2) Le Milieu divin, Seuil 1957, p. 138.

Dans ta relation à Dieu, tu retrouves ta relation aux autres dans une communauté de source. Persuade-toi bien de ceci : ceux-là seuls parviennent à donner leur valeur propre aux réalités terrestres et aux relations personnelles, qui les relient à Dieu. Si tu ne vas pas jusqu'au fond de ces réalités et de ces relations pour trouver Dieu en sa source créatrice, tu ne pourras pas t'empêcher d'être envahi par une certaine angoisse à cause de l'aspect éphémère et absurde de cette action.
DIEU SEUL EST : en Lui, tu existes, tu vis et tu aimes.

XXIV. Progresser dans l'oraison, c'est faire l'expérience de ta radicale pauvreté en tous les domaines.

C'est particulièrement dans la prière que tu vérifies cette loi de la pauvreté qui est au coeur du message évangélique. Plus tu avances dans l'oraison, et moins tu as le sentiment de progresser ; bien plus, à certains jours tu sembles même régresser. Tu ressembles alors au plongeur qui, à mesure qu'il descend plus profondément dans l'océan et jouit plus intensément de sa beauté, découvre en même temps et avec émerveillement qu'il est impénétrable. Ainsi parlent, nous l'avons dit plus haut, les explorateurs des profondeurs sous-marines. Bien que tu t'enfonces toujours plus profondément en Dieu, tu n'as plus conscience des espaces parcourus. Dieu seul est le Saint, l'impénétrable, l'au-delà de tout. Quoi que tu fasses, il sera toujours hors de tes prises. Relis le poème du mystique hindou Swami Paramananda : "Le Pauvre et la Perle" (Annexe I), et tu comprendras ce que je veux dire. Il n'y a pas de vie d'oraison qui ne fasse un jour ou l'autre l'expérience douloureuse du long tunnel et de la nuit interminable.

Au début, tu as fait l'expérience de la présence de Dieu ; à présent succède celle de son absence. Dieu te demande alors de le chercher pour lui-même et non pour la joie que tu retires de sa présence. Mais en même temps se produit une autre expérience qui vérifie l'authenticité de ta recherche de Dieu. Plus Dieu est loin, obscur et inatteignable, et plus tu éprouves en toi un vide profond; tu regrettes sa présence et tu aspires à le retrouver. Tu ne réduis en rien le temps de ta prière, tu y ajouterais plutôt, et surtout tu commences à vivre en présence de Dieu tout au long de tes journées. C'est le signe que tu progresses et non que tu t'éloignes de Dieu.

C'est à ce moment-là que se produit un phénomène étrange et déroutant. Le progrès dans l'oraison est celui d'un appauvrissement continu. Alors que dans les autres domaines le progrès se vérifie dans l'acquisition de connaissances nouvelles, dans la prière tout finit, au contraire, par se réduire peu à peu à une seule intuition ou à quelques paroles indéfiniment répétées. Par exemple, le pur sentiment de la présence de Dieu te maintient en silence tout au long de l'oraison, ou tu murmures pendant des heures une seule invocation comme la prière de Jésus.

L'expérience de la prière ressemble à celle de l'amitié. Dans les débuts, tu éprouves le besoin d'exprimer à ton ami beaucoup de pensées et de sentiments, et, au fur et à mesure, les paroles diminuent pour te maintenir dans un profond silence en face de l'autre. Il en va de même dans la prière : à mesure que tu avances, le silence se met à prendre plus de place et d'importance que les paroles. Tout se passe alors dans un au-delà des mots et il te suffit d'une brève parole d'Ecriture pour nourrir toute ta prière.

Tu éprouves désormais un immense besoin de te taire longuement devant Dieu. Tu es là muet sous son regard, ou tu murmures les mots les plus simples recueillis dans les Psaumes ou l'Evangile. Ne t'inquiète pas de ce silence, il est dans la ligne même du progrès de l'oraison. Ne cherche pas à lire, ni à réfléchir et encore moins à produire de hautes considérations intellectuelles. C'est normal que ta prière évolue en ce sens. Et il est bon parfois, au cours d'une retraite, de te poser cette question : "Est-ce que je me simplifie dans l'oraison ?" Une vie de prière vraie n'est pas constituée par une série d'oraisons, toujours les mêmes. Il y a un progrès qui se vérifie dans la simplification. Ton oraison d'aujourd'hui ne peut être celle d'hier ni celle de demain.

Apprends alors à te livrer humblement à cette expérience de pauvreté radicale. Sois comme le mendiant aveugle de Jéricho, assis au bord du chemin, et tends tes mains ouvertes au silence de Dieu. Il y a des signes qui te montreront que ce n'est ni paresse, ni pauvreté. En particulier, tu épouses en silence toute la détresse de l'humanité et ta prière se met à prendre la voix de tes frères. De même, tu vis continuellement en présence de Dieu. C'est le signe que tu as atteint les limites de tes forces humaines et qu'à ton insu l'Esprit Saint se joint à ton esprit pour attester que tu es fils de Dieu. La véritable oraison s'accomplit toujours de nuit et tu es à toi-même caché, comme dit si bien saint Jean de la Croix.

XXV. Dieu ne cesse de te parler dans les événements de ta vie. Dans la prière, apprends à déchiffrer le sens de ton histoire personnelle. Tu cueilleras ainsi la volonté de Dieu comme un fruit mûr.

Pour laisser à l'Esprit la liberté de te parler, il n'est pas bon d'être lié à une seule forme de prière. C'est pourquoi tu dois utiliser tous les registres de l'expérience spirituelle. Il en est un qui convient particulièrement à ce que nous venons de dire, c'est la prière à propos des événements de la vie. On ne cesse de dire aujourd'hui que Dieu parle à travers les événements de l'histoire personnelle et collective. C'est vrai, tout au long de la Bible tu vois les prophètes déchiffrer les événements de l'Histoire d'Israël en les éclairant de la Parole de Dieu.

Il en va de même aujourd'hui encore. Pour qu'un événement de ta vie devienne une parole vécue de Dieu, il faut le lire à la lumière de la Parole proférée, c'est-à-dire de la Bible. "Pressez l'événement, dit-on souvent, il en sortira Jésus-Christ". C'est vrai, à condition de l'éclairer par la foi en l'action de l'Esprit Saint, car le Christ vient toujours d'en-haut et non d'en-bas. Lui vient du Père, et nous, nous sommes de la terre.

L'événement de ta vie ne livre son sens dernier qu'à travers une contemplation prolongée de la Parole de Dieu. Ainsi ta prière et ta "lectio divina" doivent se nourrir de la trame de ton existence quotidienne. De même, tu ne vis pas seulement Pâques dans la célébration liturgique et la vie sacramentaire, mais tu en vis aussi le mystère au ras de ton existence quotidienne quand tu meurs à l'égoïsme, à l'impureté, au péché, pour naître à l'amour gratuit, à la pureté et à la vie. C'est pourquoi à l'oraison, il est bon d'imiter la Vierge en repassant dans ton coeur silencieux tous les événements de ta propre histoire. C'est bien longtemps après que tu découvriras leur signification. Ainsi il te faudra attendre un palier de paix pour comprendre les crises qui t'ont obnubilé durant des années.

Au soir d'une journée ou au terme d'une semaine, tu peux réviser ta vie dans l'oraison. Comme toujours, tu te situes bien en présence de Dieu qui te connait en profondeur et t'aime. A ce moment-là, il y a un acte de foi à faire : ta vie n'est pas un destin ou le résultat du hasard, mais une histoire d'amour dont tous les événements sont agencés par la main paternelle de Dieu. Fais un acte de confiance éperdue à Dieu qui mène ta vie. Etablis-toi dans une profonde disponibilité en demandant ce qu'il veut te dire par ces événements : "Parle, Seigneur, ton serviteur écoute". Habituellement, le sens de ces événements est caché, et Dieu ne peut te le révéler que dans la lumière de son Esprit Saint. Ne projette pas tes pensées et tes désirs, mais laisse Dieu se manifester à toi.

Repasse alors dans ta mémoire chacun de ces événements avec leurs composantes humaines ; interroge l'Evangile et demande au Christ ce qu'il en pense. C'est toujours à la lumière des Béatitudes que tu dois juger ta propre vie. Et puis, prie intensément afin que l'Esprit te donne l'intelligence spirituelle de ta vie. Ainsi tu verras que tel ami avec qui tu as pu partager et rester en silence a été signe de l'amour de Dieu pour toi. Telle souffrance, tel échec ou tel succès t'apparaîtront aussi comme des invitations du Christ à entrer plus profondément dans son amitié.

Cette prière est particulièrement importante au moment des grandes décisions de ta vie ; nous en reparlerons à propos du choix spirituel. Dieu ne refuse jamais sa lumière à celui qui prie avec humilité, confiance et persévérance. Là encore, ne cherche pas une solution avec les seules lumières de ta raison, ni à coups de décisions morales, mais laisse la vie divine s'épanouir en toi, laisse l'Esprit Saint remonter des profondeurs de ton être pour illuminer ton esprit et ton coeur. Il y a, bien sûr, des chemins pour discerner les voies de l'Esprit, mais la réponse n'est pas au terme de tes efforts, elle est dans un don de Dieu qui "s'impose" à toi, un élan vital que tu ne peux récuser, comme un fruit mûr que tu cueilles. C'est comme le sentiment de plénitude éprouvé par le fiancé devant la jeune fille qu'il aime : "Oui, c'est bien elle, et rien ne pourrait ébranler ma décision !"

Une telle prière ne peut s'achever que dans l'adoration et la louange. En te voyant ainsi aimé de Dieu, tu sentiras monter en toi un pur chant d'action de grâces. Sois assuré que les merveilles accomplies par Dieu pour son peuple en captivité en Egypte se renouvellent aujourd'hui pour toi à condition que tu sois pauvre et mettes ta confiance dans le seul Seigneur. Tu pourras alors chanter avec le grand Hallel : "Oui, éternel est son amour".

כִּי לְעוֹלָם חַסְדּוֹ

XXVI. Cherche, frappe, demande, intercède. Crie jour et nuit à lui rompre la tête. Tout ce que tu demanderas dans une prière pleine de foi, tu l'obtiendras.

On a tellement répété que l'irrigation remplaçait les Rogations que les hommes sont devenus trop raisonnables dans leur prière. Ils sont timides, timorés, craintifs, ils s'adressent à Dieu avec des formules de prière irréprochables et lui demandent des choses qu'ils pourraient tout aussi bien se donner à eux-mêmes. Il faut être acculé à la pauvreté pour que, du fond de la misère et de l'angoisse, monte une véritable supplication.

Si tu n'éprouves pas les limites de tes forces humaines et si tu ne communies jamais à la détresse matérielle ou spirituelle de tes frères, ta prière restera toujours polie et respectueuse, mais elle ne dépassera jamais le stade des requêtes mondaines et n'atteindra pas les oreilles de Dieu. Si tu as le temps, avant de te mettre en oraison, relis les paraboles où le Christ parle de la prière : le figuier stérile et désséché (Mt. 21,18-22), l'ami importun (Lc. 11,5-8), la petite image du mûrier (Lc. 17,5-6), et puis tout ce que Jésus dit de l'efficacité de la prière (Lc. 11,9-13).

Compare ta prière avec celle de l'ami importun ou de la veuve et tu comprendras combien ta prière est craintive et timide. Tu te poses des questions pour savoir comment il faut prier, quelles idées tu dois développer devant Dieu ; on dirait que tu veux composer une dissertation ou un poème. Dieu connaît le fond de ton coeur, il sait ta misère, il communie à ta détresse. Il ne te demande pas de tourner de belles phrases ou de te répandre en un flot de paroles inutiles.

Avant de savoir comment il faut prier, il importe plus de savoir comment "ne jamais se lasser", ne jamais se décourager, ni déposer les armes devant le silence apparent de Dieu : "Il leur dit une parabole sur ce qu'il leur fallait toujours prier, sans jamais se lasser" (Lc. 18,1). Que la hardiesse s'empare de toi comme la veuve en face du juge. Va trouver Dieu en pleine nuit, frappe à la porte, crie, supplie et intercède. Et si la porte semble fermée, reviens à la charge, demande, demande jusqu'à lui rompre les oreilles. Il sera sensible à ton appel démesuré car celui-ci crie ta confiance éperdue en lui : "Même s'il ne se lève pas pour le lui donner en qualité d'ami, il se lèvera du moins à cause de son impudence et lui donnera tout ce dont il a besoin" (Lc. 11,8).

Laisse-toi porter par la force de ton angoisse et l'assaut de ton impétuosité. A certains moments, l'Esprit Saint formulera lui-même les demandes au plus intime de ton coeur en des gémissements ineffables. As-tu déjà entendu un malade en proie à une intense souffrance gémir ? Personne ne peut rester insensible à cette plainte à moins d'avoir un coeur de pierre. Dans la prière, Dieu attend que tu mettes ce bémol de violence, de véhémence et d'imploration pour fondre sur toi et exaucer ta demande.

Au fond, tu ne fais que rejoindre l'amour infini comprimé dans son coeur qui attend ta prière pour se déclencher en réponse de tendresse et de miséricorde. Si tu savais combien Dieu est attentif à la moindre de tes clameurs, tu ne cesserais de le supplier pour tes frères et pour toi. Il se lèverait alors et comblerait ton attente bien au-delà de ta prière. On peut tout attendre d'un être qui prie sans se lasser et qui aime ses frères de la tendresse même de Dieu.

Une telle prière suppose, bien sûr, la foi, mais comment pourrais-tu prier avec autant de persévérance si tu n'avais pas une confiance éperdue en Dieu qui t'écoute et t'aime. Là encore, le Christ te rappelle qu'il n'y a pas de commune mesure entre ce que tu demandes et la réponse du Père : "En vérité, je vous le dis, si vous avez une foi qui n'hésite pas, non seulement vous ferez ce que je viens de faire (dessécher le figuier), mais même si vous dites à cette montagne : 'Soulève-toi et jette-toi dans la mer', cela se fera" (Mt. 21,21). A certains jours, tu diras des folies, tu souhaiteras être anathème pour Jésus, mais qu'importe la sagesse des hommes ! elle est folie aux yeux de Dieu. Tu ne peux voir la souffrance de tes frères sans être l'ami importun qui frappe à la porte de Dieu à temps et à contre-temps. Enfin, prends toutes les dimensions de cette parole de Jésus : "Tout ce que tu demanderas dans une prière pleine de foi, tu l'obtiendras" (Mt. 21,22).

XXVII. Une expérience de prière qui continue dans toute la vie.

Une authentique expérience de prière te transforme au plus profond de ton être. Tu n'as sûrement rien appris de nouveau , tu n'as pas pris de résolutions précises, tu restes avec tes difficultés de caractère et de relation et ta vie extérieure n'a pas changé, mais ton coeur est transformé par la présence de Dieu. Tout ce que tu penses, vis et réalises s'éclaire d'un jour nouveau. En un mot, la prière t'a unifié autour de la personne du Christ et de son oeuvre ; aussi toutes tes forces sont-elles orientées vers la construction du Royaume. Tout retour en arrière est désormais impossible lorsque tu t'es offert au Christ pour retrouver tes vraies raisons de vivre. Le renouveau attendu n'est pas d'ordre intellectuel ou moral, il se situe dans les profondeurs de ta personne, au niveau du coeur envahi par l'amour de Dieu. C'est pourquoi il ne peut être expérimenté immédiatement ; au fur et à mesure que se déroulera ta vie, tu constateras les bienfaits de cette expérience de prière.

Il en va de même pour la charité fraternelle et la vie apostolique dont on a peu parlé au cours de cette expérience. Trop souvent tu penses que l'amour des autres est le résultat de tes seuls efforts, alors qu'il naît, avant tout, d'un coeur pauvre, dépossédé de lui-même et tout envahi de la charité du Christ. Au fond, c'est Jésus qui doit aimer les autres en toi. Si tu ne descends pas à ce niveau de charité théologale, tu risques bien des illusions qui sont des caricatures de l'authentique charité. Si tu as bien réalisé cette expérience de prière, ton coeur est envahi par l'Esprit Saint et tu es rendu capable d'aimer les autres pour eux-mêmes.

Surtout tu as redécouvert de l'intérieur et goûté combien la prière était une nécessité vitale. C'est pourquoi saint Ignace conseille aux retraitants qui se relâchent de revenir aux Exercices c'est-à-dire d'être fidèles à cette forme d'oraison que tu as pratiquée pendant l'expérience. Elle vise à entretenir dans ton coeur une exigence de perpétuelle purification. Elle t'apprend dans la lumière de l'Esprit Saint à purifier sans cesse les motivations profondes de ton coeur et de ton action, elle vise surtout à unifier la prière et la vie.

En un mot, elle t'apprend à accueillir les événements extérieurs à l'intérieur de toi-même. Elle intègre dans ton coeur purifié tout l'apport du monde extérieur. Le mouvement vers Dieu dans l'intime du coeur ne s'opère jamais sans le secours des choses extérieures, comme la prière intérieure se nourrit de la prière vocale. Le danger de ton existence est l'éparpillement et la dispersion ; tu ne parviens pas à intégrer en toi l'apport des choses extérieures ; alors tu éprouves un malaise de lourdeur, une espèce "d'indigestion spirituelle". Le livre que tu découvres, l'homme avec qui tu parles, le travail matériel ou l'action que tu réalises parviennent-ils à former ton unité spirituelle ? Ne parle pas de vie purement intérieure, car il n'y a pas d'opposition entre intériorité et extériorité. La vie spirituelle n'est pas une fuite du monde, mais une qualité supérieure de présence aux autres. Une question se pose donc : quel accueil feras-tu aux choses du dehors et aux personnes ?

Tu peux accueillir les autres et les choses dans un contact superficiel de curiosité, par exemple, l'intérêt manifesté pour un livre qui plait beaucoup. L'accueil d'un livre est vrai et profond quand tu dépasses les idées pour dialoguer avec l'auteur au sujet des questions profondes qu'il pose à ses lecteurs : sens de l'existence, expérience de Dieu, communion aux autres, promotion de l'homme, etc. Lorsque les idées et les personnes pénètrent profondément en toi de manière à être harmonisées et intégrées dans une vue de foi, il y a un authentique recentrement vers Dieu. Comment vas-tu réagir devant l'autre : en l'accueillant, en le repoussant ou en luttant contre lui ?

Si tu parviens à accueillir les choses au fond de toi-même, tu n'as pas à craindre la dispersion ou le sentiment d'écartèlement. Toute la question est de te trouver avec les autres sur la même longueur d'ondes. Ton dialogue intérieur avec Dieu et avec toi-même doit être tel que tu puisses le poursuivre avec la première personne que tu rencontres dans la rue, dit Emmanuel Mounier. C'est dans l'oraison que tu ajustes ton regard sur les autres pour découvrir à quel niveau se situent tes conversations et tes rencontres. Tu risques toujours de jouer un personnage et de ne pas être en vérité en face d'autrui.

Il en va de même dans ta vie intellectuelle où tu songes plus à accumuler des idées qu'à dialoguer avec des penseurs. Il faut apprendre à sélectionner tes lectures pour ne laisser pénétrer en toi que ce qui est assimilable par ton esprit et ton coeur. Une certaine quantité de relations et d'engagements est nécessaire à ton équilibre ; il te revient le soin de choisir et de déterminer ce que tu peux intégrer à ta vie.

C'est le but de la prière qui vise toujours un certain engagement de ton être envers Dieu et les autres. L'oraison est le lieu où l'onction du Saint Esprit se répand sur tes décisions et tes actions pour les unifier dans la personne du Christ. Tu apprends ainsi à authentifier tes engagements et tes relations pour les conformer à la manière de penser et de vivre du Christ.

Pour y parvenir tu as parcouru, à travers ces pages, les grandes étapes de l'économie du salut. C'est tout au long de ta vie que tu es appelé à refaire cette expérience. L'oraison quotidienne trouvera donc son aliment ordinaire dans l'Ecriture lue, méditée et priée, au rythme de l'année liturgique. Un peu à la fois, tu entreras ainsi en profondeur dans la totalité des mystères du Christ et tu apprendras de lui à t'engager dans le sens de la volonté de Dieu. L'unité de ta vie n'est pas une affaire de techniques ou de recettes : c'est l'assomption de ton être dans celui du Christ pour vivre toujours en face du Père en harmonie avec sa volonté et au service de tes frères. Que ta règle unique soit d'avoir, jour et nuit, le sens de la présence de Dieu.

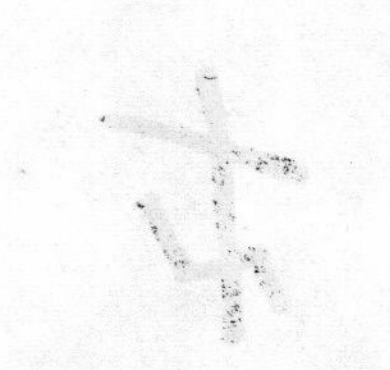

EN TERMINANT ...

Souviens-toi des bienfaits de Dieu et rends-lui grâce
car éternel est son Amour.

Yahvé recommande souvent à Israël de se rafraîchir la mémoire au souvenir des merveilles qu'il a opérées pour lui. A la fin d'une expérience de prière, au moment où s'achèvent ces pages, il est bon de contempler dans une prière d'action de grâces les bienfaits de Dieu pour toi. La vue du passé t'assure ainsi de l'avenir et t'engage dans la fidélité présente.

Nous te rendons grâces, Père Saint, d'avoir arraché les hommes à leur solitude en leur adressant une parole d'amour : apprends-nous à écouter cette parole dans un profond silence, et à veiller nuit et jour dans la prière continuelle.

Nous te rendons grâces, Créateur de l'Univers, d'avoir appelé l'homme à la vie par un regard d'amour ; tu ne cesses de le créer en lui accordant tes dons : fais-nous vivre en ta présence créatrice, dans l'adoration et l'amour.

Nous te rendons grâces, Père très bon, pour le don de ton Fils bien-aimé ; il est venu nous révéler ton amour infini et faire de nous des fils adoptifs : donne-nous ton Esprit Saint afin qu'en Jésus nous puissions crier : "Abba ! Père !"

Nous te rendons grâces, Père très miséricordieux, d'avoir manifesté notre péché tout en nous donnant, en même temps, un Sauveur : apprends-nous à confesser que nous nous sommes détournés de toi et de nos frères ; à confesser en même temps ton amour miséricordieux qui pardonne.

Nous te rendons grâces, Père très miséricordieux, pour ton Fils Jésus-Christ qui nous a révélé la Sagesse des Béatitudes : rends nos coeurs doux, humbles et pauvres, pour que nous puissions le connaître, lui, avec la puissance de sa résurrection et la communion à ses souffrances.

Nous te rendons grâces, Père juste et miséricordieux, d'avoir livré ton Fils pour nous à la tristesse de l'agonie et à l'angoisse du Calvaire : apprends-nous à veiller avec lui dans la contemplation de ton amour : "Mon Dieu, mon Dieu, pourquoi m'as-tu abandonné ?".

Nous te rendons grâces, Père très bon, de nous avoir plongés dans la mort et la résurrection de ton Fils en nous recréant, et de nous livrer chaque jour son Corps en nourriture dans l'Eucharistie : envoie ton Esprit d'amour pour que nous puissions unir notre personne à celle du Christ et faire d'elle une éternelle offrande à la louange de ta Gloire.

Nous te rendons grâces, Père Saint, d'avoir

appelé tous les hommes à la vie éternelle et à la connaissance de ton saint Nom : donne-nous d'être des intercesseurs dans ton Fils unique et des officiants du Christ Jésus auprès de tous nos frères en leur annonçant l'Evangile.

Nous te rendons grâces, Père Saint, d'avoir ressuscité ton Fils Jésus dans la puissance de l'Esprit : apprends-nous à reconnaître sa présence en tout événement et en toute personne.

Nous te rendons grâces, Trinité Sainte, d'établir ta demeure dans nos coeurs ; répands sur nous ton Esprit d'amour afin que nous puissions demeurer en Jésus et le laisser prier en nous le Père.

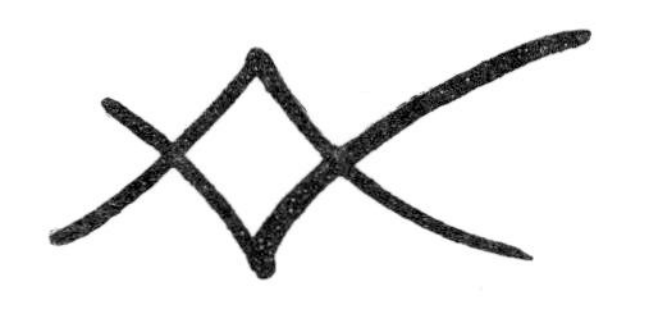

ANNEXE I

- Le Pauvre et la Perle -

La perle de grand prix gît profondément cachée.
Comme un pécheur de perles, ô mon âme, plonge,
Plonge profond,
Plonge encore plus profond et cherche !
Peut-être ne trouveras-tu rien la première fois.

Comme un pécheur de perles, ô mon âme,
Sans te lasser, persiste et persiste encore,
Plonge profond, toujours plus profond,
Et cherche !

Ceux qui ne savent pas le secret,
Se moqueront de toi,
Et tu en seras attristé.
Mais ne perds pas courage,
Pécheur de perles, ô mon âme !

La perle de grand prix est bien là cachée,
Cachée tout au fond.
C'est ta foi qui t'aidera à trouver le trésor
Et c'est elle qui permettra que ce qui était caché
Soit enfin révélé.

Plonge profond, plonge encore plus profond,
Comme un pécheur de perles, ô mon âme,
Et cherche, cherche sans te lasser !

Swami Paramananda.

ANNEXE II

« L'UNIQUE NECESSAIRE » : La Méditation

Swami Abhisiktananda : GNANANDA

Un Maître spirituel du pays tamoul

O Toi qui es venu dans le fond de mon coeur,
Donne-moi d'être attentif seulement
A ce fond de mon coeur !

O Toi qui es mon hôte dans le fond de mon coeur,
Donne-moi de pénétrer moi-même
Dans ce fond de mon coeur !

O Toi qui es chez Toi dans le fond de mon coeur,
Donne-moi de m'asseoir en paix
Dans ce fond de mon coeur.

O Toi qui seul habites dans le fond de mon coeur,
Donne-moi de plonger et de me perdre
En ce fond de mon coeur !

O Toi qui es tout seul dans le fond de mon coeur,
Donne-moi de disparaître en Toi,
Dans le fond de mon coeur !

(p.122)

Quand j'atteignis le fond de Toi,
Oh ! qu'advint-il de moi ?
Oh ! qu'advint-il de Toi ?

Quand j'atteignis le fond de moi,
Il n'y eut plus ni Toi, ni moi.

(p.128)

Là où n'est rien,
Là même est tout.
Pénètre en ce secret
Et toi-même à toi-même disparais :
Alors seulement en vérité TU ES !

(p.153)

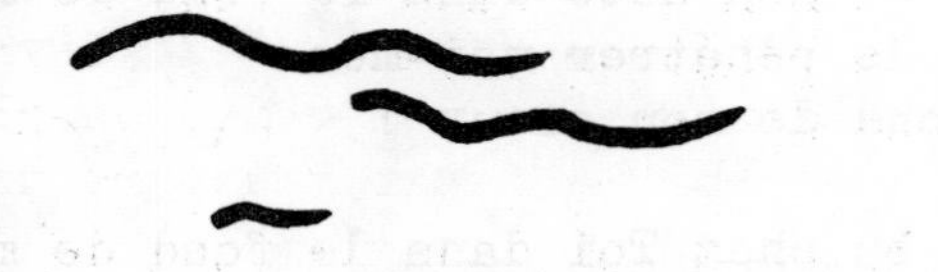

ANNEXE III

SE LIVRER

Sainte Thérèse Couderc a écrit ce texte le dimanche 26 juin 1864. Il est cité en entier dans : « Thérèse Couderc. J'ai si bien trouvé Dieu » esquisse spirituelle par Joseph Folliet, pp. 44-45.

Mais qu'est-ce que se livrer ? Je comprends toute l'étendue du sens de ce mot : se livrer, mais je ne puis l'exprimer. Je sais seulement qu'il est très étendu, qu'il embrasse le présent et l'avenir.

Se livrer, c'est plus que se dévouer, c'est plus que se donner, c'est même quelque chose de plus que de s'abandonner à Dieu. Se livrer, enfin, c'est mourir à tout et à soi-même, ne plus s'occuper du moi que pour le tenir toujours tourné vers Dieu.

Se livrer, c'est encore ne plus se chercher en rien, ni pour le spirituel, ni pour le corporel, c'est-à-dire ne plus chercher de satisfaction propre, mais uniquement le bon plaisir divin.

Il faut ajouter que se livrer, c'est aussi cet esprit de détachement qui ne tient à rien, ni pour les personnes, ni pour les choses, ni pour le temps, ni pour les lieux. C'est adhérer à tout, accepter tout, se soumettre à tout.

Mais on va croire peut-être que cela est bien difficile à faire, Qu'on se détrompe : il n'y a rien de si facile à faire et rien de si doux à pratiquer. Le tout consiste à faire une seule fois un acte généreux, en disant avec toute la sincérité de son âme : "Mon Dieu, je veux être tout à vous, daignez accepter mon offrande". Et tout est dit. Avoir soin désormais de se tenir dans cette disposition d'âme et ne reculer devant aucun des petits sacrifices qui peuvent servir à notre avancement dans la vertu. Se rappeler qu'on s'est LIVRÉ.

Je prie Notre-Seigneur de donner l'intelligence de ce mot à toutes les âmes désireuses de lui plaire, et de leur inspirer un moyen de sanctification si facile. Oh ! si l'on pouvait comprendre d'avance quelles sont les douceurs et la paix que l'on goûte quand on ne met pas de réserve avec le Bon Dieu ! Comme il se communique à l'âme qui le cherche sincèrement et qui a su se livrer. Que l'on fasse l'expérience, et l'on verra que c'est là le vrai bonheur que l'on cherche en vain sans cela.

L'âme livrée a trouvé le paradis sur la terre, puisqu'elle y jouit de cette douce paix qui fait en partie le bonheur des élus.

GUIDE POUR UNE EXPERIENCE DE DIX JOURS

Nous proposons quatre temps forts de prière par jour. Chaque heure comprend des avis pour aider à la prière et un thème de prière puisé dans l'Ecriture. Les chiffres romains renvoient à la dernière étape & les chiffres arabes aux trois premières.

LA VEILLE		:	I p.173 -	1 p.15
1° JOUR	**1° Heure**	:	II p.175 -	2 p.17
	2° Heure	:	III p.178 -	3 p.19
	3° Heure	:	IV p.180 -	4 p.22
	4° Heure	:	5 p.25 -	6 p.27
2° JOUR	**1° Heure**	:	V p.183 -	7 p.30
	2° Heure	:	VI p.186 -	An.I p.253
	3° Heure	:	8 p.32 -	9 p.35
	4° Heure	:	VII p.188 -	An.II p.255
3° JOUR	**1° Heure**	:	10 p.38 -	11 p.41
	2° Heure	:	VIII p.191 -	12 p.43
	3° Heure	:	13 p.45 -	
	4° Heure	:	14 p.48 -	15 p.50
4° JOUR	**1° Heure**	:	IX p.194 -	X p.197
	2° Heure	:	XI p.199 -	16 p.57
	3° Heure	:	XII p.202 -	17 p.59
	4° Heure	:	XIII p.205 -	18 p.62

5° JOUR	1° Heure	: 19 p.65 -	20 p.68
	2° Heure	: 21 p.71 -	22 p.73
	3° Heure	: XIV p.208 -	23 p.76
	4° Heure	: 24 p.78 -	25 p.81
6° JOUR	1° Heure	: XV p.210 -	26 p.86
	2° Heure	: 27 p.89 -	28 p.92
	3° Heure	: 29 p.95 -	30 p.97
	4° Heure	: XVI p.213 -	31 p.100
7° JOUR	1° Heure	: 32 p.102 -	33 p.104
	2° Heure	: XVII p.215 -	34 p.107
	3° Heure	: 35 p.110 -	36 p.113
	4° Heure	: 37 p.117	
8° JOUR	1° Heure	: XVIII p.218 -	38 p.123
	2° Heure	: XIX p.221 -	39 p.125
	3° Heure	: 40 p.128 -	41 p.132
			+ An.III p.257
	4° Heure	: XX p.224 -	42 p.134
9° JOUR	1° Heure	: XXII p.229 -	43 p.137
	2° Heure	: XXI p.227 -	44 p.140
			& 45 p.143
	3° Heure	: XXIII p.232 -	46 p.146
			& 47 p.149
	4° Heure	: XXV p.238 -	48 p.152
10° JOUR	1° Heure	: XXIV p.235 -	49 p.154
		+An.II p.255	
	2° Heure	: XXVI p.241	
	3° Heure	: XXVII p.243	
	4° Heure	: En terminant...	p.249

TABLE DES MATIERES

ABBAYE Ste SCHOLASTIQUE
81110 - Dourgne - FRANCE
Dépôt Légal 4e Trimestre 1973